LES ANNEES DUPOND

les ANNEES DUPOND au Ballet

FRANCAIS DE NANCY

Jacqueline Thuilleux

Préface de Patrick Dupond

Presses Universitaires de Nancy

L'auteur tient à remercier en premier lieu Alain Gallais, fidèle ami de Patrick Dupond, pour la patience avec laquelle il l'a aidé à s'introduire dans cette course trépidante. Sa gratitude va également à Jean-Jacques Aillagon, Patrick Le Levé, Danielle Cornille, Patrick Germain, Catherine Boyer, Isabelle Laville, Patrice Budry, à l'équipe administrative du Ballet Français de Nancy, et tout particulièrement à Nathalie Barchat. Merci enfin aux micros et aux plumes confraternels qui décrivent une ronde autour de Patrick Dupond. Ils ont aidé à fixer les temps forts de son trop bref passage nancéien.

Le Ballet Français de Nancy est soutenu par :
— la Ville de Nancy,
— la Région Lorraine,
— le Ministère de la Culture.

L'ouvrage a été réalisé grâce à la collaboration de « Investissement Culture Communication », 17, rue du Louvre, 75001 Paris.
La maquette de cet ouvrage et la couverture ont été conçues par Françoise Chamagne
En couverture : Patrick Dupond. *Salomé,* cliché P. Brument.

THUILLEUX, Jacqueline. — Les Années Dupond au Ballet Français de Nancy / Jacqueline Thuilleux ; préf. de Patrick Dupond. — Nancy : Presses universitaires de Nancy, 1990. — 116 p. : ill. en noir et en coul., jaqu. ill. en coul. ; 30 cm.

ISBN 2-86480-461-1

Préface

Nancy, un cadeau de plus de ma bonne étoile, un moment-clef de ma vie d'artiste et d'homme, façonné dans l'effort, le doute, l'enthousiasme, l'amitié, et le désir surtout que la course à la vie ne s'arrête jamais. A Nancy, pour moi, elle a soudain pris une autre forme, plus dense, plus forte. De course de vitesse elle est devenue course de fond. Avec un groupe serré autour de moi, j'ai dû prendre le recul de l'âge d'homme, être un jalon dans la chaîne des expressions passées et à venir.

En me proposant cette charge, on m'a cueilli à vif sur ma trajectoire, comme aujourd'hui pour l'Opéra de Paris. Jamais à l'époque je n'avais songé à endosser une telle responsabilité, jamais je n'avais imaginé en avoir le goût et le tempérament. L'un et l'autre sont venus vite, nourris par l'envie que j'ai de communiquer avec les autres. J'ai aimé ménager des rencontres qui puissent flatter l'esprit aventureux de mes vingt-sept danseurs avec des chorégraphes aux styles les plus variés. Je ne suis pas un penseur de la danse, je ne me pose pas de questions sur le sens historique et l'évolution du geste créateur. En tant qu'interprète je sais simplement que celui-ci est indispensable au renouvellement des forces vives de l'artiste, si fugaces quand il s'agit du danseur, et à la survie intelligente d'un héritage auquel je suis profondément attaché. On n'entend plus Mozart de la même oreille après l'écoute d'une microscopique pièce de Webern.

A Nancy, pour moi, cet héritage n'a pas pris que la forme des chaussons. Des années auparavant je courais déjà les antiquaires à la recherche d'un vase de Daum, d'une table de Majorelle. Je savais ce terroir riche d'art et de culture, j'ai aussi découvert ses habitants. J'ai laissé là-bas des amis, j'y ai vécu des moments d'une saveur plus douce que ceux d'une existence parisienne, dont je ne saurais d'ailleurs me passer, j'ai croisé partout des regards amicaux et discrets. De mon sixième étage d'où j'apercevais toute la ville, je me suis souvent réjoui que cet élargissement de ma vie soit passé par un coin de France.

Le temps de Nancy est encore trop proche de moi pour être celui de la nostalgie. Il est toujours celui de l'élan. A mes camarades danseurs du Ballet Français je souhaite surtout qu'ils gardent intact celui qui nous a portés pendant deux ans et demi.

SNVB ⟋

LA BANQUE D'INITIATIVES *partenaire du BFN depuis 10 ans*

Avant-propos

Plus un artiste est généreux, plus le public attend de lui. Ceux qui suivent depuis une quinzaine d'années la carrière de Patrick Dupond le savent : l'exceptionnel rapport qu'il a su établir avec tous les spectateurs qui l'acclament autour du monde tient à cette relation privilégiée. Patrick Dupond ne lésine jamais, se donne corps et âme à toutes ses activités et joue le jeu de cette périlleuse escalade avec morgue, chic, éclat et, en prime, gentillesse. Un événement récent vient encore de le prouver. Pour sa prise de fonction à la tête du Ballet de l'Opéra de Paris, il a voulu plus qu'un gala, une fête. Pas facile à réaliser dans le contexte tourmenté d'une compagnie brillante mais psychologiquement désorientée par les crises plus ou moins ouvertes des années passées. Alors, il commence par imaginer un programme qui, en rendant hommage aux grands chorégraphes français, Lifar, Béjart, Petit, cite aussi les plus éminents Américains où la compagnie excelle, Balanchine et Robbins. Il choisit ensuite des œuvres permettant en une soirée de faire danser toutes les étoiles et les principaux solistes, de mettre en valeur de glorieux transfuges comme Eric Vu An et Dominique Khalfouni, de retrouver la jeune retraitée Noëlla Pontois. Il fait plus encore. Le traditionnel et trop rare « Défilé du corps de Ballet » s'étendra aux anciennes étoiles, celles qui ont depuis cinquante ans maintenu la force et la renommée de notre école de danse. Elles sont venues saluer, de Peretti à Michael Denard, d'Yvette Chauviré et Lycette Darsonval à Ghislaine Thesmar, Wilfried Piollet ou Nanon Thibon, sans oublier les dizaines d'autres, les Vyroubova, Bessy, Carlson, Amiel, Atanassoff, Bonnefous, Bart, Flindt, Rayet, Vauccard pour ne citer que quelques noms. Pluie de roses à l'entrée de Chauviré et de Darsonval, Patrick lui-même soutenant cette dernière. Un moment d'émotion intense, un mélange de joie, de souvenirs, un climat de respect, d'amitié et sympathie, dans la rigueur d'un spectacle parfaitement ordonné.

Des gestes de théâtre comme celui-ci, il faut être capable de les exécuter, en avoir l'idée et le talent. Et nous touchons un peu là au cœur de la personnalité de Patrick Dupond. C'est la réponse à bien des questions que l'on a pu se poser lors des différentes phases évolutives de cette fastueuse carrière. Dès le départ, en effet, rien n'était évident avec ce gamin turbulent qui trouvait enfin dans le rude travail de la danse un défi qu'il jugeait digne de lui. « Gosse à problèmes » comme il le reconnaît volontiers lui-même, Patrick ne connut pas que des heures roses à l'Ecole de l'Opéra. Jugé « trop gros et trop indiscipliné », il avait aussi le tort de suivre parallèlement et avec obstination les cours de Max Bozzoni qui est toujours resté son maître. Mais le talent et la personnalité étaient déjà si évidents que de renvoi évité en affrontements contournés, le jeune danseur prenait goût à un travail régulier, l'assumait, s'assumait aussi, mieux, de jour en jour.

A quinze ans et demi, il entre dans le corps de ballet, tout fringant et prêt à dévorer le monde et l'Opéra. Partie gagnée ? pas encore. Après l'exaltation des concours annuels et la perspective stimulante de ce but à atteindre et enfin atteint, c'est la retombée démoralisante dans la routine un peu terne d'un corps de ballet débutant. Une nouvelle question se pose : partir ? Patrick le voudrait. Avec astuce, Bozzoni qui le connaît mieux que personne l'aiguille vers un nouveau défi. Pourquoi ne pas se jeter dans l'arène internationale et tenter le concours de Varna ? Fonceur, travailleur, Patrick se lance dans cette nouvelle aventure. Six mois de préparation intense, et c'est le triomphe de la Médaille d'or.

Pour Patrick Dupond, on le voit alors clairement, chaque succès sera un tremplin qui lui permettra de monter encore plus haut. Il connaît désormais sa valeur, s'affiche volontiers en caïd d'un merveilleux groupe de copains, mais ne s'assoupit pas une seconde sur ces lauriers. Il travaille avec une rigueur accrue, assume des rôles de plus en plus lourds qui lui permettent de gravir à grande vitesse les échelons le séparant du sommet de la hiérarchie. On discute son style, mais on admire son abattage. Il acquiert encore plus de rigueur, ne perd rien de son éclat, semble rire des pires difficultés techniques, met les publics en transe : octobre 1980, il a vingt et un ans ; Bernard Lefort le nomme danseur étoile.

Beaucoup d'autres se sont contentés de cet accomplissement, le titre le plus envié du monde de la danse. Patrick exulte. Il est fier, mais pas prétentieux. Il sait que désormais, il est une star. De l'orgueil ? Non. De la lucidité, et par-dessus tout la conscience d'avoir acquis une liberté qui va lui permettre d'aller encore plus loin. Sa disponibilité pour ses amis comme pour son public reste aussi absolue, inébranlable, immédiate. Plus il reçoit, plus il donne. Mais, on le voit très bien, le jeune homme turbulent sait parfaitement assumer sa position d'étoile, se comporter et se faire respecter en tant que tel au moment où il le faut. Le temps de la blague et celui du travail sont bien distincts. Son entourage a compris qu'on ne parle pas de la même manière, désormais, au Dupond-copain et au Dupond-Etoile, sans qu'il ait besoin de le signifier, sans que rien ne paraisse changer dans son propre comportement. Cette aptitude à incarner chaque fonction de manière adéquate restera, nous le verrons, un de ses atouts les plus positifs pour son futur rôle de directeur, tant à Nancy qu'à Paris.

A quoi cela tient-il ? A une incontestable intelligence, d'abord, qui l'a inconsciemment conduit à inspirer admiration et respect à ses proches, mais que compense sa viscérale gentillesse. Il a acquis une culture étendue en maints domaines, car toute forme d'expression artistique le passionne. Il tâte du cinéma, de la chanson, rêve de faire du music-hall. La peinture, la musique, les livres le fascinent. Il ne cesse d'élargir ses connaissances, ses expériences, ses relations. Il étonne le milieu de la danse trop souvent fermé sur lui-même. Il travaille, mais n'a rien du danseur dont la vie se passe accrochée à sa barre et à ses rôles. Membre à part entière du *jet-set* international, des *beautiful people* qui font la une des magazines et que l'on invite aux galas et aux émissions de télévision en vogue, il en tire de la satisfaction, certes, mais surtout une connaissance plus approfondie des gens, et de l'univers. Le succès ne le gâte pas, il l'enrichit. Il lui permet d'acquérir une sûreté de soi qui étonne même ceux qui le connaissent le mieux. Impossible de le piéger par quelque question vicieuse devant un micro. La réplique juste jaillit. Sans scandales de vie privée, il est connu de tous, y compris de ceux qui ne connaissent rien à la danse, mais pour qui il est « le danseur », comme Noureev, comme le fut Nijinsky.

De par le monde, il est l'un des rares artistes de la danse à susciter la passion des foules, même hors de scène. A New York, s'il traverse l'esplanade du Lincoln Center pour se rendre au Metropolitan Opera, c'est l'émeute. A Tokyo, la file de ses admirateurs se déroule sur plusieurs centaines de mètres, avec discipline, à la sortie de ses spectacles. Ses « groupies » font éditer des médaillons et des badges à son effigie. Il garde la tête froide. Vous le retrouvez tel que vous l'avez toujours connu, affectueux et convivial, le temps d'un déjeuner de copains à China Town ou d'une exploration du métro de Tokyo.

Le plus important, pour son avenir, se situe pourtant encore ailleurs. En effet, c'est une image très forte qui s'est peu à peu constituée dans le milieu même de la danse. Dupond remplit les salles, mais il est aussi l'objet d'une réelle admiration de la part des plus éminents interprètes et créateurs. Ailey, Béjart, Petit et d'autres créent pour lui. Et alors, phénomène étonnant, il disparaît presque de l'affiche de l'Opéra de Paris. Le nouveau Directeur de la Danse, Rudolf Noureev, au lieu de s'enorgueillir de posséder pareille star dans la compagnie, semble en être jaloux, déclare le considérer comme un danseur de « demi-caractère », inutilisable dans le grand répertoire classique. Les rôles où il triomphe dans le monde entier, Dupond doit les danser ailleurs que chez lui, à l'Opéra, à l'exception de quelques « Don Quichotte » notamment où il est quand même inégalable.

Avec beaucoup de dignité — encore un signe positif dans l'évolution de son caractère — Dupond va faire réviser son contrat. Lui qui est l'un des joyaux de ce théâtre, ne sera plus qu'étoile invitée. A quoi bon perdre du temps à lutter chez soi quand le reste de l'univers vous appelle ? Le sacrifice est sûrement plus grand qu'il n'y paraît. On sait l'attachement des danseurs de l'Opéra pour cette maison où ils ont fait leurs classes et qui est leur cadre de vie et de travail depuis leur enfance. Patrick assume, crânement. D'ailleurs, ses activités sont multiples et jamais son impact personnel n'a été plus fort.

Et puis, les années ont tout de même passé. La trentaine approche. Aucune des expériences vécues n'a été inutile. Patrick Dupond sait en outre qu'avec la technique athlétique qui est la sienne et malgré son incontestable facilité, il ne pourra pas éternellement galvaniser l'attention des publics par ses sauts et ses grands jetés, ses ébouriffants tours en l'air ou ses tours à la seconde avec ralentis à couper le souffle.

Quand s'ouvre la succession de Jean-Albert Cartier à la tête du Ballet de Nancy, on imagine bien que plus d'un candidat encombre l'antichambre des autorités de tutelle dont dépend la décision. Il faut redonner une énergie à la compagnie, un second souffle, lui trouver de nouvelles motivations. La filière qui devait conduire à Patrick Dupond était logique. D'autres candidats étaient brillants et auraient sûrement apporté beaucoup à la compagnie. La nomination de Patrick Dupond eut un effet magique. On n'espérait guère que parmi ses innombrables activités, il puisse trouver le temps de dégager des périodes assez longues pour avoir une véritable influence sur ses danseurs. Mais une fois encore, comme à chaque grand virage de sa carrière, il sut opérer une adéquate négociation.

Bien sûr qu'il pourrait se libérer suffisamment pour répondre à l'attente de tous ! Bien sûr qu'il saurait se faire respecter par tous, et qu'il aurait l'imagination nécessaire pour apporter vite le renouveau espéré ! Il suffisait de foncer, comme d'habitude, dans le risque, mais avec talent, comme d'habitude.

La suite, ce livre la raconte. C'est l'histoire d'une initiation rapide, fulgurante. Jonglant avec les heures et les jours, avec les multiples visages qu'il assume, Patrick Dupond trouve les solutions qu'il faut pour relancer le Ballet de Nancy. Il va de l'avant, prenant l'option de la création, ni trop avant-gardiste ni cependant réactionnaire, faisant appel aussi bien à l'américain Ulysses Dove qu'aux français Malandain ou Darde. Avec en prime une escapade personnelle, humoristique, auto-critique et ravageuse. Le public est ravi. Spectateurs de tous âges l'acclament debout à la fin des spectacles.

Une fois encore, cet accomplissement qui pourrait sembler une magnifique et définitive position à beaucoup, ne sera qu'un tremplin de plus. A l'Opéra de Paris, on a fini par se lasser des caprices et des oukazes de Noureev, malgré son apport en certains domaines. Il est en Amérique, jouant une comédie musicale, *le Roi et moi*. Les tutelles s'impatientent. La compagnie ne réclame pas son retour. Il ne reviendra pas. Un successeur doit lui être choisi. Et naturellement tous les regards se tournent vers celui dont la réussite à la tête de la compagnie de Nancy a été si rapide et si convaincante. L'enjeu paraît énorme. Quand Pierre Bergé annonce la nomination de Patrick Dupond à la tête du Ballet de l'Opéra, seuls ceux qui ne connaissent pas bien Patrick s'étonnent ou s'inquiètent. Pour les autres, tout dans le développement de sa carrière, dans la manière dont il a mené sa vie, dans l'épanouissement de sa personnalité et de sa maturité, semble indiquer que Nancy avait vu juste, et qu'il s'est fait voler subrepticement cet oiseau rare, cet oiseau de feu.

Gérard Mannoni

La danse est générosité (Patrick Dupond)

Acte et regard sur l'acte,
la Danse sublime le geste qui s'impose là où la parole ne suffit plus.
Elle s'inscrit par sa fonction comme son déroulement dans un présent
d'autant plus aigu qu'il est fragile.
Comme la note de musique, l'image mobile n'a pas fini de nous étreindre
qu'elle s'est déjà envolée. C'est pourquoi rien n'est plus émouvant
que la tenue d'une arabesque, naïf défi au sablier.
La Danse est l'art de l'éphémère
et comme tout ce qui est éphémère, elle nous procure des éclairs d'éternité.
Un bond de Cyril Atanassoff ou de Vladimir Vassiliev,
l'appel de main de Margot Fonteyn et la paupière baissée d'Yvette Chauviré,
un port de tête d'Eva Evdokimova, le doigt pointé de Paolo Bortoluzzzi
ou l'ondoiement d'épaule de Jorge Donn,
un cambré de Farouk Rouzimatov, un grand jeté de Patrick Dupond
sont autant de parcelles d'harmonie que le spectateur garde serrées en lui.
Aucune possession n'altère ces fragiles trésors,
aucun support de texte ou de partition ne les fixe.
Alors l'amoureux du ballet triche :
puisqu'il ne peut arrêter l'instant, il tente d'en capter les retombées,
il enserre le danseur dans son admiration, espérant s'incorporer un peu de sa magie.
Il épingle ses effigies comme des ailes de papillon,
et s'il se sert d'une plume, il essaie de cerner les techniques de l'impalpable.
Mais rien ne demeure vraiment que l'image envolée.
En parler n'est donc, hélas, que partager ensemble un gâteau de miettes.

Piège de lumière

I l y eut dans les années cinquante, pour la Compagnie du Marquis de Cuevas, un ravissant ballet de John Taras où brilla Rosella Hightower, intitulé *Piège de Lumière*, exactement l'un de ceux que le Ballet de Nancy aurait pu inscrire à son répertoire comme l'une des pages les plus colorées de l'expression chorégraphique de cette époque. Vingt ans plus tard, le London Festival Ballet le transportait dans ses bagages avec succès : dans une forêt équatoriale, des papillons venaient se prendre au piège de feux allumés par des forçats évadés. L'un d'eux, surtout, les fascinait par sa danse, avant d'être capturé par les ailes : mais entre les mains du chasseur ébloui ne restait plus qu'une traînée scintillante.

C'est à un tel faisceau lumineux que les vingt-huit jeunes gens composant le Ballet de Nancy, habitués à camper sur un héritage dont les charmes commençaient à s'émousser, se sont trouvés pris en janvier 1988, lorsque Patrick Dupond est venu piquer sur leur paisible fonctionnariat et les aiguillonner de son magnétisme : frondeur, certes, célèbre par la vivacité non conformiste de son tempérament et de ses réparties autant que par ses exploits artistiques, mais drainant un formidable potentiel de sympathie par le dynamisme et la générosité avec lesquels il vend l'image de la danse plus que celle du danseur. Tout en appréciant joyeusement l'encens des applaudissements qui montent jusqu'à lui, le phénomène contemple avec humour sa couronne de lauriers : « Dupond l'archange », « La danse magnifiée », « Je croyais voir un prince, j'ai vu un dieu » « un monument de perfection » chanteront amoureusement les journalistes de Nîmes à Yokoyama, émerveillés de découvrir enfin un danseur classique qui a autant d'élocution que de sens giratoire, de curiosité envers le monde que de détente dans le tendon d'Achille. Un prototype rêvé, en somme, d'esprit sain dans un corps sain. C'est qu'en dix années de gloire, il lui a fallu un équilibre peu banal pour résister à la pression de cette admiration névrotique, l'éclat et le zest de folie pour déclencher les passions, ravager les teen-agers à la façon d'un James Dean — le héros dont il rêve et qu'il fuit tout à la fois, au point d'avoir failli l'incarner dans une comédie musicale —, la gentillesse et un solide bon sens terrien pour sécuriser leurs mères. Et

merveille, cette réputation de vif-argent savamment diffusée à l'échelle de celle d'une rock-star ne se ternit pas d'une traînée de scandale, d'un caprice douteux. Les dix années de la trajectoire qui le conduit à Nancy ont débuté aussi dangereusement que brillamment : par la plus prestigieuse des récompenses dans le monde de la danse, la médaille d'or du concours de Varna, en juillet 1976. Seuls ont pu la décrocher avant lui Vladimir Vassiliev et Mikhaïl Baryschnikov. Les suivants ne feront pas baisser le niveau de la récompense puisqu'il s'agira de Vladimir Derevianko et de Sylvie Guillem. Une gloire bien précoce pour l'adolescent tempétueux et incontrôlable, piaffant de rage dans l'attente des rôles que la maison-mère, l'Opéra, ne se presse pas de lui donner. Mais on peut rappeler que Nijinski, entré au Théâtre Marinsky à dix-huit ans avec les trompettes de la renommée, n'y dansa que sept fois dans l'année.

Il mûrira vite. Nommé étoile en 1980, réclamé partout, il va heureusement vite découvrir une règle d'or pour maîtriser cette existence de caméléon nomade : c'est que si les capacités d'enthousiasme ne s'inventent pas, il importe de travailler une forme de sagesse, de ne pas se laisser dépasser par un personnage qui finirait par le broyer, et pour vivre en bonne intelligence avec soi-même, de

vivre en bonne intelligence avec son temps. « Je n'ai jamais été obsédé, affirme-t-il, par l'image que je donnais de moi ». Le cheveu frisé jaune citron, plaqué Valentino, ou noir catogan de samouraï quand il prend ses fonctions de Directeur de l'Opéra, lutin gavroche, prince charmant ou beau ténébreux, il possède avec une simplicité désarmante l'art de descendre du piédestal des stars du classicisme, de trouver le ton de la communication avec un nouveau public.

C'est une telle décharge de vie, pour la troupe qui lui échoit, qu'elle s'en trouvera nécessairement, après son départ, comme étourdie du mot fin après le film à grand spectacle, mais assoiffée d'aventure, de risque.

« Avec un D comme Danseur », s'est souvent amusé à lancer l'insolent jeune homme, raillant ainsi la banalité de son nom, devenu emblématique à l'étranger. « Avec un D comme Directeur », lui a appris à ajouter son stage lorrain. Avec un D comme défi, auront surtout retenu ses danseurs : « Je doute beaucoup mais rien ne m'effraie ». La danse ne naît pas dans la quiétude, et la sécurité de la pensée y atténue rapidement l'éloquence du geste. Avoir à jeter sans compter son corps et son énergie, dans des aventures difficiles, voire incertaines comme leur travail avec le chorégraphe américain Ulysses Dove, voilà sans doute où ils ont puisé la leçon la plus profitable, celle qui donne sa dignité à la condition de danseur, dont la finalité est dans le geste et non dans le sens du geste.

Lorsque Dupond prend pied à Nancy, en janvier 1988, il s'est essayé à tous les genres, des compositions théâtrales de Roland Petit dans *Nana* ou *La Dame de Pique*, de la frénésie gestuelle d'*Au bord du Précipice*, d'Alvin Ailey, aux rôles les plus académiques du grand répertoire : l'Oiseau Bleu dans *La Belle au Bois Dormant, La Bayadère, Giselle*, le Bouffon du *Lac des Cygnes*, Mercutio puis Roméo. Il a inspiré les plus grands chorégraphes Pendleton, Petit, Béjart, Neumeier. Danseur de caractère plus que noble ou lyrique il parvient à habiter la moindre pirouette d'une intensité peu commune. Il a l'art de faire parler les voix mortes de l'académisme. Si sa malice explose quand l'Opéra lui confie le rôle de Puck dans le *Songe d'une Nuit d'Eté* de Neumeier, il fait hurler les foules quand il bondit sous le turban du Corsaire ou le boléro pailleté du Basile de *Don Quichotte*. Il y reprend la lignée des danseurs mythiques qui se sont rendus célèbres en restant quelque part accrochés dans les cintres : Nijinski, Baryschnikov, Vassiliev, Noureev.

Car rien n'éveille autant dans le mouvement les aspirations à une condition humaine transcendée que cette synthèse de grâce et de puissance, véritable « envol de l'âme » dont parlait Pouchkine. Avec la bénédiction de Saint Jean Chrysostome « Si Dieu nous a donné des pieds, ce n'est pas pour nous en servir honteusement mais pour nous unir un jour au chœur des anges » !

On lui a reproché des outrances de style, des imperfections qui gênent l'œil des puristes, au niveau du cou de pied, du rentré de genou ou de la cambrure, mais son magnétisme les a balayées. Aux U.S.A., en Italie, au Japon surtout, le succès frise l'hystérie, depuis sa première tournée en 1980, avec l'Opéra de Paris. Il y retourne de nombreuse fois, flanqué de ses « stars », le petit groupe qu'il a créé en 1985, ou escorté du Ballet de Nancy, du Ballet de Marseille et de celui de Monte-Carlo. En novembre 1988 à Tokyo, il est au centre de l'un de ces mixages culturels que Maurice Béjart adore brasser, pour une rencontre du Ballet de Lausanne et du Tokyo Ballet, que scelle la participation du grand acteur de Kabuki, Tamasaburo Bando. Toujours le mélange du grandiose et du dérisoire : on l'appelle là-bas le Delon de la Danse, et les groupies japonaises, fédérées en clubs, poussent la passion jusqu'à en créer un au sigle de son chien

Mouche, compagnon obligé de sa course. Dans les halls des hôtels, elles se jettent sur lui, déchirant ses vêtements et arrachant ses boutons !
Brassant dans la même spontanéité de réflexes, les publics d'habitués et les foules de nouveaux venus, qui découvrent l'éloquence d'un art réputé caduc, une telle figure est une des chances de la danse classique, tout comme Maurice Béjart en fut le sauveur dans les années 1965, lorsque son ballet du XXe siècle drainait vers les stades d'Europe et du Nouveau Monde des centaines de milliers de curieux qui souvent n'avaient jamais vu un ballet de leur vie. Mais Béjart, seul maître de son navire, avait beau jeu pour parler aux gens le langage de leur temps. Dupond, lui, n'est qu'un interprète dépendant des chorégraphes. Et puisqu'il considère le phénomène de création comme le nerf de la carrière d'un danseur, il lui faut se tenir sans arrêt aux aguets, pour les vivre et les susciter. A ses yeux l'avenir est là, dans l'imagination que les interprètes déploient pour

faire rebondir celle des créateurs. A la clef de l'extraordinaire fascination exercée sur un public jeune et peu préparé, il faut lire plus que l'imbrication de la virtuosité et de la plastique, soulevées par une animale joie de vivre et habilement médiatisées grâce à un sens de la communication remarquable, mais une véritable passion d'exister, et d'exister de face, d'ouvrir tous les volets de l'expression individuelle.
Ce ne sont pas les pulsions du sexe, du rythme, de la joie ou du désespoir que scandent les pieds de Patrick Dupond, mais un irrésistible appel de liberté, conquis sur la plus féroce des disciplines du corps. On n'est pas loin de l'attrait exercé par le professeur non-conformiste qu'incarne Robin Williams dans le film de Peter Weir, Le Cercle des Poètes Disparus, autre piège de lumière. Aucun des grands danseurs de notre temps depuis Nijinski n'aura atteint à cette dimension humaine, ni Noureev le capricieux animé d'une fureur sans joie pour masquer sa solitude, ni Vassiliev, le plus prodigieux de ces personnages ailés, mais emmuré dans un monde bloqué, auquel il a essayé de trouver des issues par des essais chorégraphiques peu convaincants ; ni Baryschnikov, lui aussi plein d'un humour et d'une aisance accrocheurs mais trop vite récupéré par le mode de vie américain.

Le plus subtil des chorégraphes post-romantiques contemporains, John Neumeier, ne s'y trompe pas lorsqu'il invite le jeune lauréat de Varna à son « Nijinski-Gala », au printemps 1979. Tandis que Dupond danse avec la fraîcheur de ses vingt ans le rôle délicat du berger Daphnis, Neumeier est émerveillé, son imagination s'exalte. Dans son bastion de l'Opéra de Hambourg où il règne depuis 1973, cet Américain d'origine germano-polonaise a opéré un retour aux sources de la vieille Europe, parvenant à implanter en Allemagne du Nord une culture chorégraphique qui lui était étrangère. Sa perception de la vitalité créatrice du jeune Français réveille en lui un thème qui l'obsède : Neumeier a voué au souvenir de Nijinski, cet autre Polonais un culte absolu, constituant dans son superbe appartement hambourgeois la plus oppressante des galeries de souvenirs et de documents, destinés à être un jour légués à son école. Dans un état d'exaltation fiévreuse, avec une rapidité qui ne lui est pas coutumière, il invente en quelques jours *Vaslaw* : « un ballet qui n'engage ni costume ni décor et ne laisse au danseur que son propre corps. Il ne peut même pas s'appuyer sur la description d'une situation. Il ne s'agit pas de penser, il s'agit de sentir. C'est pourquoi j'aime beaucoup travailler avec Patrick. Avec lui, ce qui se passe de plus important s'opère sans l'aide des mots ».

La forte présence de l'interprète dramatise la composition : pourtant, le résultat est raffiné, austère, aussi peu spectaculaire que possible. Un ballet de chambre qui se veut épure et ne laisse parfois que le contour d'une esquisse, s'il n'est pas parfaitement interprété. A coup sûr réservé aux initiés qui savent quelque chose du cheminement douloureux de Nijinski, abîmé dans une folie mystique. Le ballet n'utilise d'ailleurs que de loin les extraordinaires capacités d'envol du héros. Neumeier l'a conçu pour un groupe d'étoiles, rassemblées à Hambourg à l'occasion du gala, dont quelques-unes seulement appartiennent à sa compagnie. Comme si Karsavina et Pavlova se réincarnaient autour de Vaslaw. Autour d'un piano, des couples brodent au petit point des figures de danse sur des pièces de Bach que Nijinski désirait chorégraphier. Démarré à côté du piano, aux sources de la musique et du mouvement, le cheminement de Vaslaw le mène, en brefs rappels gestuels évocateurs de ses recherches, à l'autre bout de la scène : une chaise l'y attend, symbole de la folie qui va l'emmurer.
Bouleversé par cette rencontre intime avec tant de souvenirs mythiques, le jeune Patrick Dupond, qui a juste vingt ans, émerveille à la création par une densité d'émotion que l'on n'attendait pas déjà de son tempérament extroverti.

Il est au début de sa carrière, et comme Nijinski, il lui faut bondir, chanter le monde. Le chorégraphe, en lui imposant précocement cette sorte d'ascèse, lui offre l'occasion d'un défi de grand style. Et la nécessité d'une délicatesse de mouvement et d'une concentration profitables. Comment ne pas être ébloui à vingt ans, de servir ainsi à l'imaginaire d'un tel créateur, à partir d'un tel mythe. Il en gardera une tendresse un peu respectueuse pour ce ballet qui s'inscrit au répertoire de l'Opéra de Paris le soir où il y devient étoile, le 30 octobre 1980. Il l'imposera partout, l'offrant notamment au Ballet de Nancy bien avant 1988.

Ce rêve d'identification à Nijinski l'aura poursuivi longtemps, depuis sa première approche de la légende dans le *Stravinski* que réalise Roger Hanin pour la télévision en 1978 jusqu'à *She Dances Alone* l'année d'après, par Robert Dornhelm. Il y pénètre un peu plus encore, puisque incarnant à nouveau *Vaslaw*, il endosse le célèbre costume du Spectre de la Rose sous l'œil scrutateur de l'étrange fille de Nijinski, Kyra. Si lui est bouleversé de ce contact, elle l'est tout autant par la ressemblance gestuelle qu'elle détecte entre les deux danseurs.

Mais pour attraper le personnage sur le vif, les danseurs de Nancy le tiendront à loisir dans deux moments scéniques qu'il colportera avec eux, tous deux parfaitement spectaculaires. Avec l'un en hors d'œuvre, et l'autre en dessert, il abat une bonne partie de son jeu : *Démago-Mégalo*, petit zakouski chorégraphique signé Dupond, lui sera une carte de visite en forme de calembour. *Salomé*, jeu d'ombres imaginé pour et à partir de lui par Béjart sera le miroir qu'il se tend à lui-même autant qu'au public. Point d'orgue d'une foule de spectacles itinérants, sa densité morbide ira croissant au fur et à mesure que le danseur prendra de l'épaisseur.

Lorsqu'en mai 1988 Patrick Dupond imagine son *Démago-Mégalo*, il se dédouane d'emblée de toute prétention envers la postérité « Je n'ai aucun talent de chorégraphe et aucune aspiration à le devenir. Lorsque d'aventure je m'y essaie, tout tourne tout de suite à la dérision ». Prudent, il le baptisera « clin d'œil » dans ses programmes. Un apéritif pour mettre le public en forme. La pochade est ressemblante, tout comme lui ressemble le rythme trépidant de ce dernier mouvement de la VIIe Symphonie de Beethoven, *L'Hymne à la Danse* — il faut avoir essayé de lui emboîter le pas dans la rue pour savoir que sa démarche de fonceur n'a rien de la noble foulée des beaux danseurs narcissiques. Dans *Démago-Mégalo*, au pas de charge, il ironise sur le tourbillon de sa vie d'enfant de la piste et d'idole : tenue chaplinesque pour déballer malle à accessoires, chien pour le coup de peine des moments de solitude, barre mobile, cigarette, maquillage, courbatures, puis pourpoint scintillant, virtuosité grand genre, fleurs et couronnes, œil sur la montre, et redépart précipité en tirant sa malle, non sans avoir sacrifié à son eau minérale préférée. Le tout tracé à grands traits de pirouettes, roues et jetés assortis de pitreries. Rien qui se

puisse appeler chorégraphie, mais en quelques gestes l'humour, la gaieté, le décalage de la vedette par rapport à la vanité de la gloire ont surgi, explosant dans une danse large, généreuse, franche, où chaque pirouette, chaque manège sont comme une affirmation du moi. Dans sa série de tours à la seconde position, enchaînés à un train d'enfer, il donne à la virtuosité son expression la plus noble de jubilation. Balayés ici les mornes trente-deux fouettés de la tradition, souvent exécutés de façon strictement répétitive. Ici chaque geste est un acte de vie ! Quelle leçon pour ceux qui dansent avec lui...

Magnifiant l'instant, Dupond s'intègre parfaitement aux structures mentales d'un public juvénile. A preuve ces vingt-cinq minutes d'applaudissements dont les Réunionnais saluent le petit *Démago-Mégalo* lors de la visite du Ballet en septembre 1988. On tourne la face de Janus, et au côté souriant succède le côté inquiétant du personnage, capté par Maurice Béjart dans le *Salomé* qu'il lui règle à New York en 1985. En trois jours. « Ce sera ta mort du cygne », lui dit-il. Mais non un chant du cygne. On remarquera qu'il lui fait déployer des ports de bras aussi ailés que ceux du célèbre solo qu'Anna Pavlova transporta dans le monde entier. Partout, couronnant ses spectacles, *Salomé* lui vaudra des triomphes désordonnés. Parce qu'il sait, mieux qu'aucun de ses pairs, flairer les ressorts d'un interprète, Béjart se sert de la puissance de dérision de Dupond, de son aptitude à se transformer pour le plonger en une série de variations qui évoluent en transe hystérique, vers les pièges du narcissisme et de la dispersion de soi.
Béjart, un rien diabolique, a retourné *Salomé* comme un doigt de gant : d'abord en remplaçant la musique de Strauss, surchargée de sollicitations érotiques et de senteurs lourdes, par une partition d'un pompiérisme et d'un lyrisme

rutilants, celle du Réveil de Flore, du padouan Drigo : rappel de la Russie du début du siècle, car si le ballet que composa Petipa sur cette page est tombé aux oubliettes, on sait que Nijinski, tout juste entré au Théâtre Marinski, y fit une apparition éclatante en costume d'Aquilon et surtout que ce furent les débuts d'Anna Pavlova. Puis s'inspirant d'une réflexion de Balanchine, — celui-ci, après avoir vu une production de *Salomé* en Russie, s'était demandé si Oscar Wilde n'avait pas pensé à un jeune garçon —, Béjart inverse le sexe du personnage : « que Salomé soit une femme ou un homme, seul compte ce qui est ressenti ou exprimé ».
Le jeu des sept voiles tombant vers la nudité finale, il le convertit en travestissement : du peignoir au survêtement, du collant exaltant la beauté du corps à la jupe qui l'emporte dans un délire tourbillonnant, jusqu'à l'immense robe blanche où le héros plonge comme dans un océan, l'écume à la bouche, le cheveu dressé, mué en « déesse de l'hystérie » qui baise sa propre tête. Outre cette inversion, Béjart use d'accessoires dont l'impact scénique est imparable : le ballon de rugby que scrute la star est à la fois emblème ludique du jeune âge de Salomé, et figuration aveugle de visage indéfini, reflet vide de son auto-contemplation, sourd à ses interrogations. Irrésistible aussi, l'éventail doré où il s'enivre de son reflet, lui donnant des airs de couperet ou de plateau lorsqu'il le fait tournoyer autour de son cou. Pris entre les feux croisés d'évolutions d'une grâce juvénile et de provocations grinçantes, le public rit et frémit de malaise.
Toute en soubresauts, l'œuvre est conduite avec une parfaite logique scénique : le maquillage blanc qui idéalise le visage du héros va se trouver mué en un masque qui lui colle implacablement à la peau. Le plus beau geste de la pièce tient d'ailleurs en cet instant où la raison bascule, lorsque Dupond tente de s'arracher cette face étrangère. Quant au ballon nu, le

voilà devenu tête reproduisant son visage, sur laquelle il se rue, comme pour boire à son âme enfuie.

Autant qu'un cadeau, l'œuvre peut être aussi une mise en garde pour l'interprète. Perpétuel objet de désir, en lui se dilue la quête de l'autre, qui ne devient plus qu'un jeu de ricochet. Fantastique hoffmannien, brin d'espagnolade, mais surtout subtil jeu de reflets à l'extrême-oriental. Le choix des accessoires, les cothurnes, la jupe, l'éventail, la démarche fantomatique des serviteurs, le masque peint, et l'androgynie du personnage, tout semble indiquer qu'Oscar Wilde est ici relu sous l'éclairage de Mishima, chantre dans une de ses nouvelles des amours malheureuses d'un Onnagata : personnage clef du théâtre de Kabuki, cet acteur masculin, à force de consacrer son art à recréer la féminité idéale, finit par égarer son identité.

Œuvre bâclée, ont parfois dit les mauvaises langues, essentiellement axée sur des effets scéniques accrocheurs, rendues plausibles par le talent du dédicataire. Mais, bien qu'il ne s'intéresse qu'aux non-initiés, c'est l'un des traits les plus frappants du génie de Maurice Béjart que de pétrir ses œuvres en y imbriquant réminiscences et correspondances culturelles : avec une telle évidence dans le syncrétisme qu'elles finissent toujours par prendre leur élan, à condition que l'interprète y croie. Ici le vêtement a bien évidemment été taillé pour Patrick Dupond, ses rebondissements, sa vivacité, sa souplesse, la violence dans les volte-face attaquées en fauve imprévisible, la grâce ambiguë des bras qui mènent le corps d'athlète, et l'angoisse du clown blanc qui transparaît sous les feux de la rampe. Mieux, il lui a laissé une marge d'élasticité, et l'impact morbide s'enfle au fur et à mesure que le danseur mûrissant l'habite d'une sensibilité nouvelle. « Une œuvre à laisser reposer quelque temps », pense-t-il d'ailleurs après l'avoir menée sur tant de scènes, de peur que l'expressionnisme n'y étouffe le fantastique, que le rictus ne s'y fasse ricanement. Car pour que la danse garde sa portée spectaculaire il faut que la transe y soit maîtrisée, qu'Apollon récupère Dionysos au bord du précipice.

Le cheveu noir et plaqué, le sourire enjôleur puis sardonique, qu'on est loin du Petit Pan mousseux et incontrôlable de ses débuts, ce solo que Norbert Schmucki offrit au jeune homme mi-lutin, mi-faune, après Varna. Au début, il va danser Salomé comme en s'amusant, avec plus de malice que de venin. Mais lorsqu'il s'installe à Nancy, bien qu'il n'ait encore que vingt-neuf ans, Roméo s'est enfui. Dans une vie déroulée en accéléré, ce n'est pas l'heure du bilan mais c'est celle du face à face, et il va saisir de plus en plus avidement le miroir que Béjart lui a tendu, sorte d'exutoire aux pièges de la gloire. Pendant les deux années passées à Nancy, Dupond continuera d'inspirer les chorégraphes. Mais les choses se modifient sensiblement. Cette fois, c'est lui qui passe les commandes. Ce n'est donc plus autour de son seul magnétisme qu'elles vont s'articuler. Tout un groupe humain va devoir y trouver son compte. On l'a engagé parce qu'il brille, mais lui, passionnément, va s'attacher à faire briller les autres. Dépouillant sa mentalité d'étoile, il va devenir meneur d'hommes. Dès lors, les œuvres de Pierre Darde, Thierry Malandain, Daniel Larrieu et Ulysses Dove, qui vont renouveler le travail des danseurs, si elles témoignent de la polyvalence de ses goûts, ne lui donneront pas l'occasion d'une aussi subtile alchimie. Lorsque l'Opéra de Paris l'enlève à Nancy, il quitte la ville en emportant ses deux malles symboliques : celle de Démago-Mégalo, où il serre les ingrédients de sa vie nomade en passe de se sédentariser — des ors de la place Stanislas à ceux du Palais Garnier — et celle où dort l'immense robe blanche à collerette que le costumier Nino Corte-Real, complice des fantasmes de Béjart, a inventée pour sa chère « Déesse de l'Immortelle Hystérie ».

MONSIEUR
LE PRESIDENT...

Ce jour-là, 11 décembre 1987, le danseur étoile Patrick Dupond est un peu crispé. Ce n'est pas là son salut habituel, lumières et bouquet. Papier en main, il s'adresse au Président Francis Raison, aux représentants de l'Etat et aux élus et notabilités locales qui l'ont intronisé comme Directeur artistique du Ballet-Théâtre de Nancy à partir du 1er janvier 1988. En annonçant cette nomination, François Léotard, alors ministre de la Culture et de la Communication, a indiqué « qu'elle traduisait sa confiance en la jeunesse ». Devant le Conseil d'Administration, Dupond précise ses projets et définit clairement l'enjeu. Chacune des deux parties l'a bien compris : si la Compagnie a besoin d'une nouvelle mise sur orbite, les retombées médiatiques et les ouvertures vers le mécénat que suscite le nom de la star enroberont avantageusement la mise en place d'un travail profond qui s'effectuera lentement. Accolé à celui de Dupond, représentatif d'une évolution de la danse française, le sigle nancéien aura plus de chances de pénétrer dans les mémoires japonaises ou américaines.

A vingt-huit ans, le danseur a une vision nette, moderne, loyale de sa mission : « Pour ce qui est du rayonnement international du Ballet-Théâtre Français, j'aurai l'immodestie, pardonnez-m'en, d'affirmer que je suis bien placé pour en parler, ayant, au cours des dernières années, plusieurs fois participé aux plus brillantes tournées de cette compagnie à l'étranger. Il va de soi que je souhaite à l'avenir lui faire partager les avantages de ma bonne connaissance des grandes scènes internationales ».

Un moment d'angoisse tout de même au moment de franchir ce pas décisif dans sa vie de star-objet adulée où il n'a à répondre que de lui-même. « J'étais beaucoup plus tendu, avouera-t-il plus tard, qu'au moment où je me suis présenté à la presse comme Directeur de la Danse au Palais Garnier ». Un

beau coup d'éclat pour ceux qui ont réussi à l'attirer à Nancy, d'aucuns disent un coup de poker, mais à coup sûr le résultat d'une intuition pénétrante. Lorsqu'au printemps 1987, profitant d'une tournée au Japon où il se produit en vedette-invitée avec le Ballet de Nancy, l'Adjoint aux Affaires Culturelles de la ville, Gérard Benhamou et le Directeur Administratif du Ballet, Jean-Jacques Robin, lui glissent la proposition à l'oreille, ils ont bien senti qu'une sorte de lassitude habitait l'artiste bouillonnant, tourmenté de n'être qu'un courant d'air, happé par l'admiration des foules pour ses performances brillantes, sans rien tenir entre ses mains que sa gloire. Et pour ce jeune homme doté qu'un solide bon sens terrien, passés les vertiges du début, édifier s'avère aussi important que butiner de place en place. Quelques craintes devant le côté technique de la responsabilité, quelques remises en question, le temps des hésitations dure l'été : l'appel d'offre est lancé officiellement en septembre, le Directeur du Ballet, Jean-Albert Cartier, également Directeur du Châtelet, devant abandonner ses fonctions pour régir le Festival de Paris, puis en 1989 le Palais Garnier. L'accord de Patrick Dupond ne se fait pas attendre, et sur le mode passionné qui le caractérise : « Un jour Nancy sera aussi porteur que Dupond ».

Depuis deux ans, exaspéré de se voir grignoter ses rôles à l'Opéra de Paris par le mauvais vouloir de Noureev, il a obtenu un statut d'étoile invitée qui ne l'y fixe plus que pour quinze représentations annuelles. Partout on lui réclame *Don Quichotte* ou *Le Corsaire*, succès faciles qui remplissent les salles, mais les propositions plus intéressantes n'affluent pas. Toujours pourpoint, turban, grands jetés et pirouettes. Au bout de son soixante-dixième *Don Quichotte* et de son troisième tour du monde à l'arraché, il a envie de poser ses valises de paillettes pour vivre une aventure artistique

plus substantielle. Outre le défi de la responsabilité qui l'excite, s'intégrer à une troupe de petite structure possédant un solide répertoire le fera enfin sortir du dilemme des grandes maisons, pas-de-deux ou grand spectacle. Et puis il a impitoyablement observé ses devanciers, les erreurs pathétiques des stars cramponnées à leurs adieux. Déjà depuis l'enfance il a appris à se préserver au sein de cette comédie humaine, de cette jungle féroce où s'affrontent les danseurs, frappés par la retraite alors que s'achève à peine la jeunesse. La trappe ouverte guette partout, et depuis toujours — Nijinski n'a-t-il pas vu sa carrière et sa vie menacées à quatorze ans par la haine d'un condisciple, qui le fait sauter au-dessus d'un chevalet de fer où il s'embroche : plusieurs jours de coma et trois mois d'hôpital —. Rien ne lui paraît plus lamentable que le vieux danseur qui court après sa jeunesse. « Les paramètres physiques sont impitoyables : genoux cagneux, sauts qui n'en peuvent plus de retomber, pirouettes hystériques. La danse porte en elle une mort lente que je refuse. Je préfère lâcher progressivement les rôles » (propos recueillis par Bernard Mérigaud). Il en a eu un bel exemple sous les yeux à l'Opéra. Lorsqu'on a subi la vision du grand Noureev soufflant et s'agitant péniblement dans l'habit de pétales de roses du Spectre de la Rose, un rôle terrible pour les muscles que seules des étoiles juvéniles peuvent affronter sans ridicule, quand on a vu dans d'autres spectacles ce dieu de la danse saluer de dos le public hilare qu'il enflammait vingt ans plus tôt, écartant les basques de son habit par dérision, il faut se dépêcher de prendre la nostalgie de court, ne pas ouvrir la porte aux regrets. Plutôt que d'accumuler les sorties, trouver des entrées.

Lorsqu'il accepte son poste nancéien, la situation qu'on lui présente est complexe. Il peut d'autant mieux en juger qu'il est l'invité de la Compagnie depuis plusieurs années. On ne saurait dire que le ballet revient de loin, mais en tout cas il vient de haut. Il a vingt années d'existence, un passé excitant, une réputation encore flatteuse à l'étranger. En fait, c'est de deux fois dix ans qu'il faut parler. Il apparaît d'abord sous le sigle Ballet-Théâtre Contemporain et s'installe à la Maison de la Culture d'Amiens, où il donne ses premiers spectacles en décembre 1968 : une trentaine de danseurs de formation classique, à la tête desquels de superbes solistes, Martine Parmain (transfuge de l'Opéra de Paris), Muriel Belmondo, James Urbain. C'est la concrétisation du rêve nourri par un intellectuel fou de ballet, le critique Jean-Albert Cartier, et par une danseuse à forte personnalité, Françoise Adret, élève de Lifar dont elle s'est progressivement détachée pour interpréter des chorégraphes plus modernistes comme Sparemblek. Elle est ensuite devenue maître de ballet chez Roland Petit et à Amsterdam, et enfin chorégraphe

elle-même. Tous deux souhaitent faire ressurgir les impulsions fulgurantes qui ont caractérisé le miracle Diaghilev, « voir s'établir la synthèse entre les arts plastiques, la composition musicale et l'expression corporelle de notre temps », cette « odeur d'époque » dont parlait Cocteau. Et ce que les Ballets Russes eux-mêmes n'ont réussi qu'un court laps de temps, avec les plus grands créateurs et interprètes du siècle, et dans un bouleversement des esprits dû à la stagnation des arts scéniques de l'époque, le B.T.C. le recrée quelques années : la conjonction de Berio, Ligeti, Stockausen, Penderecki, Boulez, Xenakis, avec Sonia Delaunay, Calder, Erté, César ou Hajdu, voilà un beau palmarès. John Neumeier et John Butler, tous deux en plein accomplissement créateur, leur donnent deux chef-d'œuvres, *Trauma*, pour le premier, *Othello*, pour le second, qui feront longtemps partie des trésors de base de la compagnie. Sans égaler l'audace des musiciens ou

des plasticiens, les chorégraphies de Michel Descombey, de Françoise Adret, de Félix Blaska et de Milko Sparemblek sont des mises en images corrosives et séduisantes.
Ce sont aussi les débuts de la décentralisation, l'amorce de la prise de conscience au niveau de l'Etat d'un rôle à jouer dans la mise en place d'un tissu chorégraphique. Par son énergie affirmée au milieu d'une poussière de petites cellules de recherche, le B.T.C. fait d'abord figure de pionnier. Lorsqu'en 1969, Marcel Landowski se voit confier la Danse par André Malraux, il place le B.T.C. en seconde position après l'Opéra. Le mouvement va dès lors s'amplifier. Tandis qu'en 1972 l'installation à Marseille du Ballet de Roland Petit marque la première implantation régionale d'une troupe liée à un chorégraphe, le B.T.C. émigre vers Angers où il s'intègre au Centre Chorégraphique et Lyrique National que vient de créer le Ministère des Affaires Culturelles.

C'est une époque d'intense ébullition, de grande mobilité, et les ambitions de Jean-Albert Cartier et de Françoise Adret sont un véritable credo, un acte de foi dans les capacités de renouvellement de la danse : « Le Ballet-Théâtre Contemporain n'est pas confié à un seul créateur mais à plusieurs, déterminant un style à l'image des préoccupations, des recherches et des interrogations actuelles. Il est persuadé que la Danse est un art populaire, et pour en faciliter l'approche au public le plus large, organise débats, rencontres, démonstrations, afin qu'il se sente plus directement concerné ».

Il faut dire qu'en ces années de l'après soixante-huit, c'est la fonction culturelle de la danse et le profil de son public qui sont en mutation. Face à la montée de sève qui secoue le ballet classique, la Grande Maison de Blanc, comme on appelle l'Opéra, est alors en plein désarroi : Michel Descombey y essaie un temps sa manière agressive. Dès 1965, il a obtenu l'entrée au répertoire du *Sacre du Printemps* de Béjart, un symbole. Il donne au Ballet de l'Opéra quelques œuvres au charme provocant, comme *Bacchus et Ariane* et *But*, qui disparaîtront rapidement de l'affiche, et s'en va en 1969 dans l'incompréhension générale. Il collaborera plusieurs fois avec le B.T.C. Celui-ci, malgré son dynamisme, se trouve assez vite en porte-à-faux. Il est créateur à jet continu, certes, mais sa polyvalence se retourne contre lui, fait figure de légèreté, et malgré quelques œuvres très novatrices, les schémas chorégraphiques et la technique demeurent inféodés à l'académisme, même déguisé. Il y manque le noyau central qui fédérerait les élans, la patte d'un maître. Béjart l'a compris, qui parvient à renouveler la fonction sociale du ballet beaucoup plus que son esthétique. Il parle aux gens les grands thèmes, les grands mythes qui les émeuvent, il cherche à les émouvoir, non à les étonner. Pourtant Blaska, Biaggi, Adret sont des artistes profonds, animés d'une vraie rage de communiquer. Mais ces chorégraphes que Marcelle Michel appelle « la génération perdue » souffrent du décalage qu'accuse la danse par rapport aux autres arts, qui ont vécu leurs révolutions avant elle.

Le contexte socioculturel a changé : la vraie mutation qui s'accomplit va plus loin dans le sens d'une éthique du mouvement, dans le sillon tracé par la *modern dance*, exaltée par Martha Graham et ses épigones ; s'y ajoute aussi, à un moindre degré mais qui ira croissant, l'influence de l'expressionnisme allemand. D'un extrême on va passer à l'autre, de l'ornemental au fondamental, qui génère souvent des abîmes de laideur. De plus en plus l'Etat va soutenir, fixer le travail de personnalités motrices. Sa démarche a pour inconvénient, en fidélisant une clientèle autour de noyaux de recherche, de fausser l'appréciation de leur portée générale.

Tandis que se précise la notion officielle de Centre Chorégraphique, sous l'impulsion de l'Inspecteur de la Danse Igor Eissner, l'effort de création et de diffusion du B.T.C. se trouve confronté à de nouvelles dispositions budgétaires et administratives. Le nouveau maire d'Angers, Jean Monnier, souhaite modifier la gestion du Festival d'Anjou, que dirige également Jean-Albert Cartier, en même que le Centre Lyrique et Chorégraphique. Un jeu triangulaire va alors réunir Angers, Rennes et Nancy. Tandis que se crée le Centre Chorégraphique de

Bretagne, le roumain Gigi Caciuleanu, installé au Théâtre de Nancy accepte d'émigrer vers l'ouest pour prendre la direction de la nouvelle structure. Le vide laissé par son départ précipité sera comblé par la création d'un autre Centre Chorégraphique, dont l'Etat, la Ville et la Région Lorraine assureront la charge financière à égalité des parts. Jean-Albert Cartier accepte d'y installer sa compagnie, tandis qu'un Centre National de Danse Contemporaine, créé autour de la personnalité populaire d'Alwin Nikolaïs, s'installe dans ses locaux d'Angers.

Cette migration se double d'une orientation nouvelle, moins jeune que la première. Un peu comme l'American Ballet Theatre et le Joffrey Ballet aux Etats-Unis, mais avec de moindres moyens, il s'agit de constituer une sorte de conservatoire ambulant de ce que le XXe siècle a produit de plus marquant depuis Diaghilev, tout en gardant une certaine activité créatrice, nécessaire pour rester en état d'éveil. Des chorégraphes comme Douglas Dunn ou Viola Farber répondent à cette demande. Françoise Adret, malheureusement, ne les suivra pas.

Séduisante intellectuellement, l'idée de cet inventaire implique beaucoup de rigueur et de doigté dans le choix des pièces et dans la façon de les faire revivre. Car, et c'est l'un des drames de la danse, rares sont les ballets qui ne se démodent pas et ne se détériorent pas à une extrême vitesse. En matière de regard sur le corps, le goût se modifie sans cesse. Pour un homme comme Jean-Albert Cartier, qui jusque-là s'était attaché à flairer la fameuse « odeur d'époque », c'est un véritable tour de passe-passe : il

lui faut trouver des œuvres qui aient justement dominé la leur. C'est bien là le dilemme : un ballet est comme la mode, il est pétri des changements d'humeur de ceux qui le font et de ceux qui le regardent. Moins fixé que par le texte, moins abstrait que dans la musique, son sens bascule, se détériore et devient caduc pour un rien.

Puisque l'on vit ici dans la dimension de l'éphémère, elle joue à tous les niveaux : dans la mémoire des chorégraphes, qui se détachent facilement de leur chose une fois qu'ils l'ont pétrie, l'oublient ou en arrivent à ne plus la supporter. Pourquoi n'a-t-on pas remonté à l'Opéra de Paris l'extraordinaire *Turangalila Symphonie* créée par Roland Petit sur la musique de Messiaen ? Parce qu'il n'était plus capable de la reconstituer ! Pourquoi le merveilleux *Roméo et Juliette* de Béjart n'a-t-il plus survécu que sous forme d'un pas-de-deux ? parce que son auteur ne l'aime plus. L'évolution des techniques et des mentalités des interprètes contribuent aussi à dénaturer l'œuvre, rarement à l'améliorer. Et l'on conçoit volontiers que les chorégraphes laissent

difficilement leurs ballets se promener sans eux. Quelques coups de hanches un peu trop lestes, et l'on a vu le *Boléro* de Béjart, qui pourtant avait été scandé sur tant de tables, sombrer dans le bitume en 1988, à la Biennale de Lyon, parce que les danseurs de Stuttgart n'en ressentaient pas l'ambiguïté. Rien d'étonnant à ce que Béjart lui ait depuis supprimé l'autorisation de sortie, comme à *L'Oiseau de Feu* et à *Bakhti*. Les ballets meurent quand on les oublie, et même quand on ne les oublie pas.

Rares sont ceux qui parcourent quelques décades, comme l'emblématique *Sacre du Printemps* de Maurice Béjart, la plus jeune de toutes ses chorégraphiques après trente ans de carrière. Mais nul ne peut présager de sa portée dans trente ans. Encore plus rares sont ceux qui dépassent le siècle : *La Sylphide*, de 1832, *Giselle*, de 1841, *Le Lac des Cygnes*, de 1895, conservent aujourd'hui leur charme parce qu'ils puisent à la force des contes, solides supports de l'imaginaire, et surtout parce que la figure de la ballerine y est totalement idéalisée, nettoyée des tonalités changeantes de la séduction ou du dramatisme, et ce grâce à des chorégraphies qui sont pour l'essentiel des modèles d'équilibre. Cette conjonction du réel et de l'irréel est l'une des plus fortes créations de l'esprit chorégraphique. Mais, là aussi, il ne faut pas se cacher que ces œuvres ont survécu à coups de tripotages, collages et refontes, avant qu'une vague d'épuration née en Russie après la guerre, ne leur confère cet académisme distingué, vision sans doute idéalisée de ce qui se faisait réellement. Un monde sépare les cygnes contemporains, masques austères et creusés, bras effilés, port altier, des petites dames grassouillettes que les photos du début du siècle montrent volontiers, aux gestes maniérés plus propres à séduire les abonnés qu'à libérer l'âme...

La relecture du passé est donc délicate par le truchement de la danse, tout autant qu'il l'est de ressusciter des ballets avec un éclairage neuf. « Mon problème, disait Jean-Albert Cartier à l'époque, était de trouver une unité dans la manière de porter un œil contemporain sur le passé. Il ne s'agissait pas de reprendre systématiquement les anciennes chorégraphies mais de les restituer en tenant compte de la sensibilité et de la morphologie actuelle des danseurs ». Autour d'un fond constitué par une quinzaine de ballets créés par le B.T.C., et qui disparaîtront progressivement, le tri s'orchestre dans une première direction : chercher la modernité dans le XXe siècle, c'est évidemment faire référence à Stravinski. Il y avait déjà *Pas Dansés*, de Dirk Sanders et René Goliard, *Sans Titre* de Lar Lubovitch, *Danses Concertantes* de Félix Blaska, et *Le Rossignol*, de Françoise Adret. Vont s'y ajouter *Jeu de Cartes*, chorégraphié par Janine Charrat à vingt ans, dans une nouvelle scénographie signée d'Yvaral, fils de Vasarely, les *Petrouchka Variations* de Neumeier, et le *Petrouchka* de Fokine, peut-être le plus grand succès des Ballets Russes, dont le même Neumeier dit « qu'on ne peut être plus moderne, ni plus musical, ni plus juste dans l'équilibre entre la pensée et les gestes ». Toujours l'ombre de Diaghilev comme guide, avec *Les Biches* de Nijinski, et la *Boutique Fantasque* de Massine. Les charmes des deux, malgré la fluidité des décors de Marie Laurencin pour le premier et le piquant de Derain pour le second, s'avèrent bien vieillis. Les danseurs, d'ailleurs, aimeront peu les danser.

Le répertoire gardera également trace du grand champ exploré par Georges Balanchine, en une carrière de cinquante années. Lui aussi a imbriqué ses architectures les plus représentatives à l'œuvre de Stravinski, dont des pièces rugueuses, style Agon, ne le rebutent pas. Balanchine a su

adapter le classicisme à l'esprit et aux jambes américaines : parfaitement froides, mais frappées d'humour, ses chorégraphies les plus représentatives ressemblent à ces gratte-ciels new-yorkais de la première heure, surmontés d'une petite rotonde à l'antique. Ce ne sont pas les plus anciennes qui datent, curieusement, mais ses essais romantiques, comme cette *Somnambule*, datée de 1946, que reprend le Ballet de Nancy. Le décor de palais en trompe-l'œil en accentue encore le côté vieillot.

Mais on ne s'impose pas balanchinien si vite : la manière du maître russo-américain est l'une des plus difficiles à saisir. Sous leurs airs de dédaigneux mannequins un jour de défilé, ses danseuses aux longues jambes sont d'une grande précision. La géométrie variable des figures parfaitement équilibrées, les enchaînements plaqués sur les syncopes de Stravinski n'y souffrent pas de flou, et le moindre clin d'œil un peu trop appuyé y transforme le chic en vulgarité.
Avec l'enthousiasme des débuts, Hélène Traïline, directrice de la Danse, multiplie les invitations de professeurs et de répétiteurs : Hector Zaraspe, Woytek Lowsky tandis que Luis Falco et Viola Farber continuent d'enseigner fluidité et faux négligé. John Taras, assistant de Balanchine au New York City Ballet, vient lui-même remonter son propre ballet *Dessins pour Six*, créé juste après la guerre. Quant à John Cranko, Directeur du Ballet de Stuttgart et récemment décédé, c'est une de ses choréologues — le mot a été inventé par Serge Lifar — qui dirige l'entrée au répertoire de l'*Estro Armonico*.

Pour les anciens danseurs du B.T.C., habitués à vivre l'aventure de l'instant et l'exaltation des chorégraphies qui naissaient sous leurs pas, le changement de cap n'est pas facile : ils ont la responsabilité de reprendre les flambeaux d'un Olympe de la danse. Si les œuvres ne passent pas, c'est sur eux que retombera la faute, pas sur leur auteur. Heureusement le succès est vif, rapide. Quelques échos de presse glanés au hasard : « Une cure de jeunesse », « Le Ballet de la Liberté ». « Création et récréation », « La troupe brûle les planches », « Nancy, une place-forte du chausson », « Une Compagnie chevronnée qui a su garder les impétuosités de la jeunesse ». Celle-ci remplit une mission qui n'est pas que celle de l'Art pour l'Art : la notion de Centre Chorégraphique, mise en place autour d'une implantation géographique, implique une diffusion du travail de chacun. Supports financiers à peu près égaux d'une activité culturelle, l'Etat et les collectivités locales entendent que cette couverture les valorise. Jean-Albert Cartier est subtil et ambitieux, Jean-Jacques Robin, son administrateur, habile et dynamique : à eux deux ils font vite du Ballet un excellent support de prestige. Le fossé entre les critiques dont il sera l'objet en France et sa flatteuse réputation à l'étranger, qui ne cesse de croître, ira s'élargissant.

Avec leurs programmes panachés, ils font le tour du monde. L'un des plus beaux succès, la tournée qui les conduit en Amérique du Sud en 1983, l'année même où les inondations viennent ravager leurs plus belles réserves de costumes, à Nancy, causant trois millions de dégâts : quarante mille spectateurs dont douze mille en un soir à Montevideo. Cette vocation d'ambassadeur itinérant ne se démentira pas : même pendant la saison 1986-1987, au moment où son image faiblit, le Ballet de Nancy demeure la compagnie française la plus active à l'étranger, plus même que le Ballet de Marseille, qui donne la moitié de représentations avec un budget de plus du double. Mais ce sont d'autres choix.

Pourtant le malaise s'installe, faute sans doute d'une personnalité créatrice pour laquelle les trente danseurs se mobiliseraient. D'autant que Jean-Albert Cartier, devenu directeur du T.M.P., l'ancien Châtelet, a moins de disponibilité pour l'enfant chéri de ses débuts. Certes la Compagnie aligne d'excellents solistes, Isabelle Bourgeais, Noriko Kubota, superbe balanchinienne, et la petite Jessica Funt, qui s'en ira chez John Neumeier à Hambourg.

Il y a aussi Hacène Bahiri, qui émigre à l'Opéra de Lyon, et dans les vagues suivantes l'étrange Gilles Reichert, aux allures de Pierrot lunaire, sans parler des deux Américaines de choc, la blonde Nancy Raffa et la rousse Alexandra Wells. Mais le recours fréquent aux étoiles invitées, pour les prises de rôle de prestige, nuit à leur élan : ils ont le sentiment de servir d'écrin à Dominique Khalfouni, Noëlla Pontois, Eva Evdokimova, Maïa Plissetskaia et Marcia Haydée, Rudolf Noureev, puis Patrick Dupond et ses « stars » Isabelle Guérin ou Françoise Legrée.

Une nouvelle vague de classiques du XXe siècle est venu rafraîchir leur répertoire, les Béjart, Petit, Cullberg, puis Christe, Van Manen, Kylian. Malheureusement une erreur de registre permet aux cruels Parisiens de faire l'état des lieux : à l'automne 1987, alors que Patrick Dupond est déjà désigné, le Festival international de la Danse présente l'*Hommage à Lifar* que la compagnie nancéienne a constitué avec quelques pièces représentatives. Le maître russe, qui a bouleversé la vie de l'Opéra de Paris pendant trente-cinq ans, vient de s'éteindre en décembre 1986.

Lifar a été le prototype idéal du choréauteur dont rêve Jean-Albert Cartier, façonnant des alliances nouvelles entre plasticiens, danseurs et musiciens. *Icare* est l'un de ses manifestes. En récupérant pour la scène le mythe de l'homme aux ailes de liberté, il secoue quelques habitudes, notamment l'idée que la danse naît de la musique. Ici c'est du dessin mélodique que va sourdre le rythme, imaginé par Lifar, noté par Honegger, et très simplement projeté sur quelques panneaux par Picasso, pour la reprise de 1962. Inlassable analyste du geste, Lifar travaille à alléger et déséquilibrer le corps pour créer une sorte d'interrogation visuelle, remplace le profil par le biais. Son écriture si novatrice va pourtant pâtir d'un caractère trop systématique. Tandis que quelques œuvres de Balanchine parviennent à garder la force de frappe d'une modernité froide, la grâce orientale des positions lifariennes est marquée de nostalgie. Depuis, tout a été dit et fait sur les jeux du poids du corps. Une chose est sûre : fondé sur une éthique du mouvement, le mouvement lifarien, coupé de ses rêves, risque de ne devenir qu'une esthétique un peu contournée. Sublimation de la technique classique, il impose une maîtrise d'autant plus affirmée qu'elle en est dérivée. Seul l'Opéra de Paris a pu, et avec difficulté, garder quelques morceaux de l'héritage.

Le spectacle préparé à Nancy a bénéficié des directives de Claude Bessy et d'Yvette Chauviré, prêtresse du style lifarien, notamment dans *Ishtar* et les *Mirages*. Pas assez longtemps. La troupe accuse ses failles dans *Suite en Blanc*, affolante parade technique, que le chorégraphe avait définie comme « une facture présentée à l'avenir ». Facture lourde : dans le corps de ballet, les danseurs ont grossi, l'équilibre est instable, l'en-dehors en régression, le genou cagneux en progression. Peut-être intimidés par le voisinage avec le London Festival Ballet et le Kirov, les solistes semblent peu concernés :

pourtant ce sont les mêmes qui remporteront de vrais triomphes dans la nébuleuse Dupond un an plus tard.

La technique classique semble si caricaturalement faire corps avec son utilisateur et le définir, qu'on est confondu de la rapidité avec laquelle elle peut le déserter, ne lui laissant que quelques automatismes. Comme si le corps se vengeait, dès qu'une faille se glisse dans le traitement contre nature qui lui est infligé. « Quelques semaines de relâche, et tout vous déserte », dit Dupond lui-même, qui a toujours payé un lourd tribut aux tendinites et aux contractures. « Nous n'y croyions plus », avouent simplement les danseurs qui se souviennent de cet épisode parisien.

C'est bien cela qui manque, un nouvel élan. Les structures de diffusion sont en place, les talents potentiels aussi, le répertoire s'est considérablement étoffé. Mais les créations sont demeurées rares : *Pulcinella* de Moses Pendleton, *Strings* de Niels Christe : sur ce point, Patrick Dupond a le réflexe rapide. Dès novembre 1987, avant même d'avoir pris ses fonctions, il contacte son ami, l'américain Ulysses Dove, pour une rapide commande. Dove, lui, sera de taille à réveiller la belle endormie.

Le déclic qu'on n'osait trop espérer se produit alors : celui qu'on percevait un peu hâtivement comme un elfe bondissant montre qu'il n'a pas l'esprit léger. Il s'enflamme pour une fonction devenue mission, déclare que « le métier de directeur n'est pas un passe-temps mais une vocation » et fixe tout de suite la barre très haut, limitant ses engagements à l'étranger de façon à pouvoir consacrer trois semaines sur quatre à sa compagnie. De fait, autant que sa folie, c'est sa sagesse qui a séduit Francis Raison, président du Conseil d'Administration du Ballet.

Cet ancien Directeur desThéâtres et des Maisons de la Culture, sous André Malraux, a porté la compagnie sur les fonts baptismaux et n'entend en rien modifier le rôle qui lui a été assigné en 1978. Elle perd simplement au passage son nom de Ballet-Théâtre. Ballet suffira désormais.

Un personnage nouveau va se dégager chez la vedette. Tandis que la nouvelle de sa nomination suscite un formidable mouvement de curiosité et de sympathie, il analyse clairement la situation : « Cinquante pour cent des danseurs sont en forme, mais quarante-cinq pour cent doivent se remettre à la barre, maigrir, retrouver la forme. Je veux être l'étincelle de ce moteur à demi endormi, faire revivre cet état d'esprit généreux et combatif ». (L'Est Républicain). Faire que le Ballet de Nancy égale en prestige et en qualité le Ballet de Marseille que dirige Roland Petit. Et deux ans plus tard, pour Télérama, « Je ne prétendrai jamais avoir ramené une compagnie en déroute. Elle avait simplement besoin de mots-clefs tels énergie, dynamisme, volonté » : c'est tout le personnage : d'emblée, avant l'accomplissement d'une mission, avoir la conscience de sa place.

Le grand souffle libertaire passe évidemment par un redressement de la discipline : les trente danseurs sont jeunes, entre dix-huit et trente ans, et donc largement perfectibles. Dupond va donner six mois de période transitoire à la moitié litigieuse, pour affiner les lignes, durcir les pointes, et retrouver le goût de l'effort, composante de cet équilibre qui lui est si cher. En même temps il auditionne deux cents quatre-vingts jeunes gens qui ont déjà une expérience des planches, le ballet nouvelle manière étant trop fragile pour se permettre des novices. Au bout de six mois, il y a des coupes sombres et des défections, vécues douloureusement par le nouveau directeur, lequel apprend très vite à maîtriser ses émotions et à se faire les dents : « Un

bouleversement énorme. J'ai appris à prendre des décisions, à savoir exactement ce que je voulais, à exiger. Et parce que je suis danseur moi-même, à protéger les danseurs contre certaines agressions, le cas échéant contre eux-mêmes. C'était pour moi un moyen aussi de rehausser la Danse elle-même ».

La danse classique passe par la trique, c'est impossible à contourner ! A son arrivée, certains solistes n'avaient pas pris de cours depuis des mois. Désormais les deux heures de leçon quotidienne sont séparées entre garçons et filles, ce qui permet à celles-ci de reprendre un travail de pointes, un peu négligées jusque-là. Les professeurs invités se succèdent, à raison d'un mois chacun : ils s'appellent Noella Pontois, Francesca Zumbo, André Glegovski, Jacqueline Fynnaert, Gérard Wilk ou Max Bozzoni, le maître bien aimé qui a aidé l'enfant insubordonné à canaliser son énergie. Plus que la transmission de simples artifices techniques Dupond attend d'eux celle de leur expérience et de leur vécu d'artistes. Issu de la plus féroce école de danse du monde, il a eu lui-même bien assez maille à partir avec la perfection formelle de ce qu'on appelle « le placé ». Il lui a fallu une dynamique et un magnétisme hors du commun pour faire passer au second plan ses lacunes. Mieux que quiconque il sait ce qu'elles peuvent coûter à des danseurs aux dons moins évidents que les siens. Pour mieux ensuite prendre ses distances : « la base classique n'est pas un accomplissement en soi, c'est une trame sur laquelle le danseur peut mettre ses envies, ses couleurs, son dessin. Chaque partie du corps, de la racine des cheveux au doigt de pied doit être intelligente, vivre, parler son propre langage ». (Est-Eclair, mars 1988). A condition de donner au corps les moyens de faire ce que la tête lui ordonne.

En attendant d'imposer l'identité

de la compagnie, la propreté, sous le regard des deux maîtres de ballet : Alesssandro Espinoza et Noriko Kubota, pilier de la troupe. Il ne s'agit pas de donner raison au mot terrible de Gustave Mahler : « La tradition, c'est le laisser-aller ». Faute d'entrée en matière spectaculaire, les reprises dont se composera le spectacle d'entrée, le 7 janvier 1988 à l'Opéra de Nancy, sont effectuées avec énormément d'exigences au niveau des éclairages, des costumes, et surtout de l'image que le danseur entend donner de lui-même. En dehors de Salomé, propriété privée de Dupond, et du Chant du Compagnon Errant qui n'engage que deux interprètes, les ballets que propose alors la compagnie sont du type distingué, qu'il s'agisse de Four Schumann Pieces et Chansons sans Paroles de Van Manen, ou de Symphonie in D, de Jiri Kylian, chef-d'œuvre du ballet d'humour, genre particulièrement difficile et qui s'émousse encore plus vite que les autres. Dansé dans d'adorables dessous froncés style petites filles modèles, ce ballet servira souvent d'alerte introduction dans les spectacles des tournées. Mais Dupond, par la suite, fera venir quelqu'un du Nederlands Theater pour le rectifier : comme chaque fois que l'on prend l'envers d'une performance pour s'en amuser, il faut qu'on soit sûr d'en posséder l'endroit. Gérard Mannoni, qui a consacré un livre à Kylian, cite à ce propos cette phrase du chorégraphe : « Chorégraphier de la comédie, c'est vraiment très difficile. Vous créez quelque chose que vous croyez drôle, et à force de le répéter, vous ne savez plus du tout si c'est drôle ou pas... ».

Dès cette première soirée nancéienne, l'effet de cœur joue à plein : une ovation de vingt minutes donne le signal de l'aventure. Les rapports de Patrick Dupond avec son nouveau terrain trouvent d'emblée leur ton : passionné, chaleureux. Il devient vite la figure locale la plus populaire.

44

Les retombées médiatiques sont énormes. Les évolutions de la compagnie n'avaient jusqu'alors intéressé que la presse spécialisée. Elles passent désormais le cap des informations générales. Véhiculé par la publicité et la télévision, le mélange de professionnalisme faussement décontracté à l'américaine et de simplicité à la française avec lequel Dupond impose ses choix d'existence balaie peu à peu dans les chaumières la vieille image des danseurs pommadés et narcissiques, et profite à toute la corporation.

Immédiatement le Ballet reprend sa vie itinérante, Nîmes, Lausanne, Saint-Quentin. Avec cinquante contrats assurés pour l'année 1988, partout, il crée l'événement. Une fois passée l'euphorie des premiers succès, le travail le plus subtil, le plus difficile, le plus stimulant sera de fédérer ce groupe en une sorte de label, qu'il puisse produire comme un dénominateur commun à ses activités, malgré la polyvalence des rivages chorégraphiques entre lesquels il se promène. Dupond ne peut leur trouver une autre image que la sienne propre, jeune, dynamique, généreuse. Des mots qui reviennent constamment dans sa bouche,

des mots qui fleurent l'affectivité plus que l'esthétisme, et dévoilent à quel point la danse est pour lui désir de communication, engagement total vers l'inconnu pour mieux se récupérer. Et ce champ de nouvelles investigations émotionnelles autant que physiques, à vivre en commun avec ses trente danseurs, c'est dans la création qu'il se situe naturellement.

L'idéal, aux yeux du nouveau directeur, serait de pouvoir investir la compagnie dans deux créations par saison, l'une, en quelque sorte honorifique la mettrait en contact avec un chorégraphe consacré, l'autre, plus aventureuse, servirait à mettre en lumière le travail d'un chorégraphe plus jeune et moins connu. Au nom magique de Dupond, les contacts se nouent vite, Béjart et Neumeier bien sûr, qui ont travaillé sur son image, mais aussi Kylian, Forsythe, nouvelle coqueluche de Francfort et bientôt de Paris, où un contrat va l'associer au Châtelet dès 1990, Matts Eks, auteur d'une géniale relecture de *Giselle*, à qui il emprunterait bien son ballet *Soweto*, Maguy Marin, dont le *Cendrillon* a fait la gloire du Ballet de Lyon, son propriétaire exclusif. Deux années, malheureusement, ne suffiront pas pour mobiliser ces

créateurs débordés par leur succès et par la gestion de leurs propres compagnies.

Sa vraie révélation, Dupond la tiendra avec les ballets d'Ulysses Dove, noir américain venu de la compagnie de Merce Cunningham, puis d'Alvin Ailey, où il était premier danseur. Il a appris à le connaître lorsque Dove a fait quelque temps partie du Groupe de Recherche Contemporaine de l'Opéra de Paris, le G.R.C.O.P. : on y avait vu notamment une œuvre intitulée *Pieces of Dreams*, accueillie favorablement. Avec une fluidité de gestes plus marquée que par la suite, il y manifestait son goût pour les séquences juxtaposées plus que pour les enchaînements et les développements et usait déjà d'une musique répétitive.

Passer de Lifar à Kylian et Van Manen était pour les danseurs un délicat exercice de style. Entrer dans l'univers d'Ulysses Dove va être un saut dans un monde aux antipodes de ces exquis produits de la culture européenne. Un monde sans formules de politesse, sans transition dans les mouvements et les états d'âme. Porteur d'un fardeau racial mal assumé, doté d'une présence physique peu commune, Dove est un outrancier, un extrémiste dans les rapports humains, qu'il projette sur scène avec agressivité. Entre ces deux puissantes natures qui ne détestent rien autant que la tiédeur, une connivence s'est établie, au sein de rapports de force qui se dénouent dans l'excès. La plupart des ballets de Dove sont des constats désespérés du mal de vivre américain : mal cru, nu, sans les garde-fous culturels dont l'Occident farde ses quêtes et ses provocations. Un point de rencontre avec Patrick Dupond, lequel, vu sous l'angle de l'angoisse existentielle, a plus le profil d'une rock-star que de Hamlet ou de Werther. Trois fois invité chez Alvin Ailey à New York, ce qui est tout à fait exceptionnel pour une vedette européenne, il a même fait pénétrer cet autre climat sur la scène de l'Opéra, en incarnant en 1983 le héros de Au Bord du Précipice.

Cette fois, c'est le disciple d'Ailey qu'il lance dans l'arène du Palais des Sports parisien avec Faits et Gestes, présenté le 2 juin 1988. Autour de lui, les neuf danseurs qu'il met en scène sont électrisés par l'enjeu et par l'engagement physique qu'a représenté le mois de travail avec Dove. Les solistes féminines surtout, assurées d'être désormais les seules vedettes des premières, la présence du directeur-étoile suffisant largement en matière de promotion. Pour les garçons, la situation est évidemment plus délicate, le solaire Dupond étant à l'évidence une concurrence difficile en même temps qu'un moteur. Celui-ci manœuvre pourtant avec diplomatie : dans les créations qui suivront, il veillera à ne pas être mis en vedette, de façon trop spécifique, afin que les ballets ne soient pas tributaires de son image, bien que son contrat lui impose quatre-vingt-dix présences par an sur scène. Avec Gilles Reichert, il partage le Chant du Compagnon Errant de Béjart, il lui donne pour le Palais des Sports son cher Vaslaw. Gilles

s'en ira pourtant voler de ses propres ailes vers le Ballet de Boston.

Ces représentations de juin au Palais des Sports serviront de repère : trente mille personnes en douze jours. Elles drainent un public neuf, juvénile, différent de celui qui fréquente habituellement l'Opéra, le Théâtre de la Ville, le Théâtre des Champs-Elysées. Un public qui ne connaît Dupond que par la télévision et ne concède un brin d'intérêt à la danse classique que parce que ce genre de locomotive la projette vers lui. Si l'austère et réservé Vaslaw est mal en situation, Dove est pour lui un pont comme Dupond, qui a horreur des cloisonnements, cherchait à en jeter. « L'on commence seulement à comprendre que le classique n'est pas seulement une affaire de tutus et le contemporain une façon de s'allonger par terre. On peut pratiquer les deux » (Ouest France, mars 1988). Si les statistiques de l'année 1988 indiquent que 51 % du public des spectacles de danse a moins de trente-neuf ans, dont la moitié moins de vingt-cinq ans, des personnalités aussi motrices sont loin d'être étrangères à cette évolution.

Pas de grands déplacements à l'étranger cette année-là, mais Dupond, invité à plusieurs reprises aux Etats-Unis et au Japon, en profite pour y poser les jalons de futures tournées, qui seront réalisées en 1990 et 1991. Il est en cela fidèle à ses engagements : se servir de son image pour assurer la promotion du ballet.

L'année 1988 marque une date, le dixième anniversaire de l'implantation de la compagnie en Lorraine. C'est le moment à saisir pour concrétiser l'élan de cœur qui pousse désormais les Nancéiens vers ce groupe d'artistes dont la vie est liée au renom de leur cité : ils ont, pendant cette décade, touché plus d'un million de spectateurs. Dupond est homme de fête, de

foule, de contact, l'un de ses plus beaux souvenirs est de s'être produit place Saint-Marc à Venise devant vingt mille personnes : sa danse a l'éloquence contagieuse d'un tribun du mouvement. Il s'enthousiasme donc pour l'idée d'une fête en plein air sur le plus somptueux des espaces offerts, la place Stanislas. Le 14 septembre six mille personnes sont rassemblées, impatientes, face au podium qu'encadrent des écrans géants. Vingt parlementaires européens ont répondu à l'invitation de la ville de Nancy, et la pluie aussi... Aucun des ballets programmés ne peut être donné, ce serait trop dangereux pour les danseurs. Dupond, en capitaine du vaisseau, sauve malgré tout la situation du fiasco total, avec sa malle et son chien. Ce genre de situation est de celles qui l'électrisent : les huit minutes de son petit Démago-Mégalo sont électriques, éblouissantes. Puis le micro en main, les danseurs rassemblés autour de lui en peignoir de bain, il s'adresse à la foule : « Nous vous promettons la plus belle saison possible. » « Beau boulot » crient quelques voix ! Quel plus beau bouquet lui envoyer ?

Le Ballet de Nancy s'en va ensuite vers Lyon pour figurer dans la plus importante manifestation chorégraphique du sol français : la très sérieuse et très inventive Biennale de Lyon dont Guy Darmet, Directeur de la Maison de la Danse est l'initiateur. Passionné de danse contemporaine, Darmet récupère aussi la tradition, et avec des crédits, il est vrai six fois supérieurs à ceux du Festival de Danse à Paris, il crée un véritable carrefour : cinquante cinq mille spectateurs saluent cette année-là ses trois semaines de spectacle. Reprenant ce qui était longtemps son image de marque, le Ballet de Nancy y paraît dans un hommage à Diaghilev avec Les Biches, l'inusable Pétrouchka et la version originale du Prélude à l'Après-Midi d'un Faune remontée d'après les décors de Bakst.

Cette première manifestation du génie inventif de Nijinski fut un beau scandale parisien à la première du 29 mai 1912 pour sa « bestialité érotique ». Par l'enfoncement dans le sol, la densité des gestes en à-plat qui resserre le mouvement vers un espace intérieur, l'œuvre garde intacte son étrangeté et n'en finit pas de bouleverser les chorégraphes contemporains. Il lui faut évidemment un faune à la fois hiératique et vibrant : pour Dupond, toujours poursuivi par l'ombre de Nijinski, c'est plus qu'un rôle, c'est presque comme pénétrer dans un cercle sacré, une réidentification qui va à contre courant de ses qualités habituelles : l'élévation, la frénésie giratoire et psychologique.

Si 1988 a été l'année de l'élan, de l'effet choc, des congratulations et de la remise en route, l'année 1989 sera celle plus dure, plus exaltante marquée par une intense activité créatrice, des paris plus poussés mais aussi des tournées difficiles qui obligent à des remises en question.

La compagnie a changé de visage, rajeuni : parmi la douzaine de nouveaux venus qui pallient les départs, Thomas Klein et Gilles Stellardo frappent particulièrement, le premier par sa prestance, le second par sa sensibilité. Parmi les filles, on remarque surtout la vivacité impeccable d'Aurélia Schaeffer et l'adorable italienne Valentina Spadoni, minois têtu, silhouette de petite gymnaste et crinière au vent, parfois nattée quand il faut jouer les esseulées dans *Symphonie in D*, cette Juliette contemporaine a une personnalité scénique immédiatement perceptible. Quant aux solistes déjà en place, Nancy Raffa, Alexandra Wells, Françoise Baffioni, Isabelle Bourgeais, leur technique et leur tempérament ont explosé depuis que Ulysses Dove les a fait aller jusqu'au bout d'elles-même. Pour un tout autre registre la classe et l'élégance d'Isabelle Horovitz vont s'affirmer

dans le *Chostakovitch pas-de-deux*, cette bouffée d'un lyrisme épuré qu'on glissera volontiers entre deux ballets plus tendus.

L'enjeu qualitatif de Dupond a été fiché d'emblée : égaler le Ballet de Marseille que dirige Roland Petit. Il n'en est pas loin, pourtant le rêve qu'il poursuit surtout est celui d'un spectacle total auquel collaboreraient peintres, scénographes, compositeurs, chorégraphes. Pour une phalange de cette qualité les chorégraphes les plus enviés ne déchoiraient pas. Mais les héros sont souvent fatigués, surchargés par les contraintes que leur imposent leurs compagnies, et stimuler de telles alliances nécessite des fonds qu'il n'a pas. « Je ne pense pas être le nouveau Diaghilev qui marie les Bakst, les Benois et les Stravinski de demain » soupire-t-il. Heureusement, il existe en France tout un vivier de jeune chorégraphes auquel il importe d'ouvrir le champ à condition de rester dans les limites de la lisibilité par un large public. Le cadeau peut d'ailleurs n'être pas sans danger pour les créateurs eux-mêmes. Lorsqu'ils se retrouvent coupés des petites cellules de travail au sein desquelles ils élaborent leur langage, et ne disposant que de courts délais face à un groupe de danseurs étrangers à leur univers, ils ont parfois tendance à s'adapter aux capacités techniques de ceux-ci plutôt que s'en servir pour progresser. D'où le risque de solution de compromis plus profitable à la créativité d'une compagnie qu'à la création elle-même.

Avec les chorégraphes que Dupond convie, à l'exception d'Ulysses Dove dont la puissance de combativité est telle qu'il vaut mieux renouveler le cheptel mis à sa disposition, le cas ne se présente pas. Il s'agit de jeunes gens familiers du style néo-classique dans le cas de Thierry Malandain, ou faisant des échappées hors du sérail de l'Opéra de Paris comme Pierre

Darde. Quant à Daniel Larrieu, avec qui se conclura l'année, si son univers rejette avec violence l'académisme, il a déjà été confronté à des institutions comme les compagnies de Kylian et de Forsythe et possède parfaitement ses repères.

Trois Français autour de la trentaine, trois registres très différents et des succès variés : *Les Illuminations*, par exemple, recevront en Italie un accueil beaucoup plus chaleureux qu'à Nancy. A tous trois, Dupond laisse à peu près carte blanche et notamment la liberté de le mettre en vedette ou non dans leur ballet. Le handicap essentiel est le temps, Thierry Malandain et Pierre Darde ne disposent chacun que d'une quinzaine de jours pour travailler avec la compagnie qui revient de tournée en Suisse et en Italie en janvier 1989. Fin février, ce sont donc cinq soirées neuves qui s'enchaînent : *Les Illuminations* de Thierry Malandain sur la musique de Britten, puis *Rouge Poisson* de Pierre Darde sur *la Sonate pour Piano et Violon* de Ravel et enfin *Faits et Gestes* d'Ulysses Dove que les Nancéiens n'ont pas encore vu. Le premier ballet enchaîne de façon très structurée et théâtrale des « images autour de la destinée d'un enfant sauvage et fiévreux en lutte contre son environnement familial ». Le second ne met en scène que cinq filles et deux garçons. Son auteur le décrit ainsi « Ne comptent que la beauté des trajectoires, la parade des écailles miroitantes, la magie des corps en apesanteur. Autant de rappels de l'art du danseur ». Des filigranes de ce langage délicat et pointilliste aux coups de boutoir de Dove, c'est pour la compagnie l'occasion de montrer son élasticité et d'affûter ses réflexes. Daniel Larrieu, lui, prend un autre wagon : sollicité en catastrophe à l'automne 1989, il a quinze jours pour aider le Ballet de Nancy à paraître avec plus de lustre à la soirée du 8 décembre qui couronne à Strasbourg la réunion des chefs d'Etat et de gouvernement des Douze.

Le Président Mitterrand qui a assisté en octobre au spectacle donné par la compagnie à Bologne, a souhaité qu'elle fasse une création pour la circonstance. Fondre création et rayonnement dans un même instantané, c'est très exactement l'un des rêves de Dupond. L'occasion est superbe, l'idée belle, les moyens copieux.

Catherine Trautmann, maire de Strasbourg, a prévu pour les diverses réjouissances un budget de cinquante millions dont vingt-sept pris en charge par l'Etat. Deux mille journalistes sont rassemblés, sept cent personnes de diverses délégations : c'est le train de l'Histoire ! La vedette est partagée entre Nancy et Strasbourg : pour la première les danseurs, pour la seconde les musiciens, ces percussions de Strasbourg qui depuis vingt-sept ans ont inondé le monde de la force tellurique de leurs instruments, colportant ce que la musique contemporaine a fait de plus convaincant, martelant le son comme des maîtres de forges. La pièce choisie est *Idmen* de Xenakis : « Nous savons, écrit le compositeur dans le programme, conter des mensonges semblables aux vérités. Nous savons aussi conter des vérités semblables aux mensonges ». Presque logique pour une œuvre tout en résonances. Et au milieu de ce déploiement, Larrieu trace son sillon. Avec une perversité tranquille il en prend le contre-pied. A la violence de la musique, il juxtapose une gestique lente, il englobe la star Dupond dans un effet de groupe et à l'Europe des puissants, il présente une sorte d'Europe intemporelle des gueux. Quelques instants d'une poésie tenue dans des éclairages remarquables, qui obligent les danseurs à une grande concentration sous leurs oripeaux, laineux et bigarrés. Ils n'oublieront pas cette expérience. Quant aux chefs d'Etat, ils sont absents...

Dans cette année à risques, le plus gros jeu s'est joué au printemps. Il a suffi de quelques mois pour que les sympathies de l'étoile, les goûts de l'homme deviennent des options artistiques impérieuses. Les succès de *Faits et Gestes* au Palais des Sports l'année précédente puis dans les tournées, l'implication physique des danseurs, et toujours cette recherche d'une identité l'incitent à relancer Dove dans l'arène du Palais des Sports. Jusque-là il l'avait proposé, cette fois il l'impose et à dose massive : à *Faits et Gestes* viennent s'ajouter une création mondiale sur la musique du groupe *Art of Noise*, *White Silence*, puis deux ballets créés en 1984 et 1986 chez Alvin Ailey, *Bad Blood* et *Vespers* dans deux versions alternées, féminine ou masculine, la deuxième étant une nouveauté. Au terme de quatre mois d'un travail harassant car Ulysses Dove a l'inspiration souvent rocailleuse, les danseurs apparaissent amincis et embellis, dans une transe d'épuisement. La compagnie commence véritablement à exister, à se fusionner dans cette formidable dépense d'énergie dont Dupond ne prétend plus être qu'un des éléments.

En fait, en dehors des missions et autres vocations, il découvre le plaisir plus égoïste d'être celui qui tire les ficelles. Etre à la fois celui de l'ombre et celui du soleil. « Ce que j'aime par-dessus tout, c'est que tout fonctionne impeccablement et que j'en sois responsable, c'est encore une autre façon de récolter les applaudissements, ce que j'adore. Leur triomphe est aussi le mien. Il leur donne confiance, trop parfois ».

Mais Paris proteste contre cette formule Dove-en-tous-ses-états, probablement parce que les dits-états ne sont peut-être pas assez diversifiés. *Faits et Gestes* demeure très spectaculaire, *Vespers* a la force d'une incantation, *Bad Blood* diffuse une atmosphère oppressante et *White Silence* culmine sur un bouleversant duo : pourtant la juxtaposition leur nuit, trop d'agitation et de violence finissant par entraîner une certaine lassitude du regard. La plume de Sylvie De Nussac dénombre cent dix pirouettes et déboulés dans *White Silence* ! En province il y aura aussi quelques retombées peu flatteuses avec des critiques complexes, du genre « pirouettes cacahuètes » et des avis sans appel : « mêle erreur dévastatrice du néo-classique à la philosophie américaine du spectacle avec un grain de post-modernisme réactionnaire, des décors nuls, un éclairage raté ! ». Chacun des ballets continuera par la suite une carrière séparée et souvent réussie mais l'aventure du Palais des Sports a coûté cher au premier degré « Du moins, se console Jean-Jacques Robin, le Directeur administratif, n'avons-nous pas la moindre honte. On a le droit de perdre de l'argent pour des créations, on l'a moins pour des pièces de répertoire bâclé ». Tactiquement, et c'est un point de gestion important, le programme Dove a aussi l'inconvénient de ne pas suffisamment faire danser l'ensemble de la compagnie : à l'exception de *White Silence* où celle-ci a peu de chose à faire, chaque pièce n'utilise que quelques solistes. Le problème se rencontre d'ailleurs fréquemment avec les chorégraphes d'aujourd'hui : habitués à travailler en petit groupe ils sont facilement désemparés devant de plus grandes structures et n'ont aucune envie de retrouver les cadres du ballet classique.

Si le succès critique est mitigé, la portée médiatique, elle, est considérable. FR3 Lorraine réalise un beau documentaire où se trouvent concentrées les images les plus fortes de la tournée d'été de Madrid à Carcassonne avec le profil de Max Bozzoni accompagnant les danseurs. La banque nancéienne SNVB, renforce son soutien aux initiatives de la compagnie devenue non seulement vecteur culturel mais catalyseur d'échanges économiques. Dès 1987, au moment de la tournée que Dupond fait au Japon avec la Compagnie, en tant qu'invité, le mouvement s'est d'ailleurs amorcé avec les firmes nippones. La C.G.E., Rank Xerox, Vacheron Constantin, Europe 1, M6, Métrobus apportent leur aide à ce nouvel élan...

Et le succès remporté par la visite éclair du Ballet à Atlanta en mai 1989 a marqué des points précieux dans la percée aux Etats-Unis que vient d'entreprendre la Lorraine : le Conseil Régional a investi un demi-million par an pour installer une antenne dans la capitale de la Géorgie et y développer un partenariat industriel. Ici, la formule de charme à laquelle les Américains sont sensibles est la conjugaison des chaussons et des céramiques lorraines. Une grande exposition leur est d'ailleurs consacrée à Atlanta de novembre 1990 à février 1991. Quelques jours avant l'inauguration, le ballet passe à nouveau par Atlanta avec son programme Nijinski. Au milieu d'une énorme tournée qui, en vingt-neuf spectacles, le mène du Wisconsin à New York, en étapes serrées.

A Nancy le directeur star qui se décrit comme une fourmi dépensière se découvre ainsi animateur culturel, élargit son étoffe, ses épaules, encaisse les déceptions, analyse les ratages, apprend à cultiver un jardin vivant. L'un des outils qu'il se donne est évidemment l'amélioration des salaires, l'autre étant l'augmentation de budget que lui consentent l'Etat et la Région en 1989.

Les ratages, ce sont quelques tournées à oublier, quelques salles inertes à Madrid ou à Palerme où son nom ne suffit pas à aiguiser la curiosité. Il apprend à flairer les publics de l'été et notamment ceux de plein air : « Le public est plus disponible donc plus demandeur. Les spectacles en plein air sont dangereux. Il faut que les artistes se donnent à mille pour cent. Si le spectateur n'est pas totalement attentif, une étoile, un coup de vent, un papillon de nuit dans la lumière des projecteurs et c'en est fini de son attention, le charme est rompu. Le danseur doit être plus fort que les beautés du site et de la nuit ». Les ratages, ce sont aussi ces destinations inutiles pour la vocation de la compagnie, et, ce qui est pire, pour l'intérêt qu'a toute chance d'y prendre le public local. Il arrive que certaines doivent être annulées. Celle d'Irak par exemple, en septembre 1990... L'Association Française d'Action Artistique, émanation du Ministère des Affaires Etrangères, dont les visées sont autres que celles de la pure création, ne les aide guère dans leurs déplacements vers les Etats-Unis ou le Japon.

Lui qui se disait éponge, prêt à tout assimiler, à tout absorber, est devenu tamis. Il apprend à dire non, à annuler lorsque le spectacle ne peut se dérouler dans des conditions d'accueil satisfaisantes, à l'espace-foire de Lille par exemple, en novembre 1989 : le jeu d'orgues loué tombe en panne juste avant le spectacle. Dupond refuse de galvauder le travail de sa troupe qui perdrait la moitié de son efficacité, étant donné l'importance des éclairages dans les ballets présentés en tournée, lesquels n'utilisent à dessein que peu de décors.

Les déceptions, ce sont aussi les difficultés pour mobiliser les grands chorégraphes, les contraintes financières limitant l'acquisition des œuvres les plus marquantes du XXe siècle. Ainsi, n'a-t-il pas pu entre autres collaborer avec William Forsythe : Forsythe, le rêve des danseuses du Ballet de Nancy : « Il sait si bien mettre les femmes en scène et de façon si sensuelle, si séduisante », rêve Isabelle Bourgeais. Dupond n'a pas non plus pu mener à bien un projet conçu par son prédécesseur, Jean-Albert Cartier et qui lui tient particulièrement à cœur en raison du centenaire Nijinski : la reconstitution du *Sacre du Printemps*, créé le 29 mai 1913 dans une ambiance d'émeute au Théâtre des Champs-Elysées, et remisé dans les cartons après cinq représentations. Si Stravinski sut faire carrière, le pauvre Nijinski, emmuré dans sa solitude et sa folie, ne devait pas pousser beaucoup plus loin ses intuitions de génie. Mais l'Amérique et la *modern dance* couvrent pieusement le souvenir de cette extraordinaire tentative de danse primitive, de retour aux sources chtoniennes de la danse. A la demande du Joffrey Ballet, un peu le pendant du Ballet de Nancy, une étudiante américaine, Millicent Hodson, allait s'atteler à retrouver toutes les traces du ballet perdu : en une enquête d'une douzaine d'années, qui la mène de Paris à Leningrad et Moscou, elle reconstitue et transcrit en signes tous les gestes retrouvés. Les costumes en soie sauvage, peints à la main d'après les cartons de Nicolas Roerich, qui eut lui aussi sa part de scandale, complètent l'authenticité de la recréation. Lorsqu'en 1987 le Joffrey Ballet présente le fruit de ce travail de fourmi, à Los Angeles, le spectacle a un énorme retentissement. Seules des manifestations ponctuelles l'accueilleront ensuite, notamment le Nijinski-Gala de John Neumeier à Hambourg en 1989 et le théâtre des Champs-Elysées, en septembre 1990.

Jean-Albert Cartier, puis Patrick Dupond ont fortement souhaité acquérir cette extraordinaire réalisation qui bouleverse les amoureux de la danse. Le coût, plus de deux cents millions de centimes, alors qu'une création à Nancy ne peut en excéder cinquante, en est prohibitif. Jean-Albert Cartier heureusement, a continué d'œuvrer pour le projet, lorsqu'il prend pied à l'Opéra de Paris. Dupond l'y rejoindra pour réaliser ce rêve commun au printemps 1991.

En mai 1988, Dupond confie à Florence Mirti *(La Vie)* : « Quarante ans pour moi, c'est demain. Je me vois aussi bien patron d'un resto que paysagiste, directeur d'une compagnie de ballet ou encore directeur de la danse à l'Opéra ». Moins de deux ans plus tard, la dernière hypothèse s'avère la bonne : coup de foudre sur le monde de la danse française, Pierre Berger, Président des Opéras de Paris, l'a convaincu en décembre 1989 de monter la barre plus haut. Tout en récupérant le titre de danseur étoile qu'on lui a « volé » dit-il, il passe de vingt-neuf danseurs aux cent soixante-sept de l'Opéra de Paris. Des quelques problèmes de créativité et d'image d'une compagnie vieille de vingt ans il s'attaque à une institution tri-centenaire, à l'enfer des conventions collectives et des conflits d'influence que la direction de Rudolph Noureev avait exacerbés jusqu'à l'explosion. Au Palais Garnier, ironie du sort, il retrouve en coéquipier comme administrateur Jean-Albert Cartier qui l'a précédé en Lorraine : décidément le tremplin nancéien joue à plein ! Ils devront faire face à une maison en pleine mutation puisque dévolue entièrement à la Danse, le Lyrique venant d'émigrer à l'Opéra-Bastille : à eux de profiter de la circonstance et de rendre la nouvelle formule pleinement opérationnelle.

A Nancy où la nouvelle de sa nomination fait figure de rapt, concert de protestations des responsables culturels et amère déception du ballet : « Nous aurions tant aimer le garder quelques années de plus » soupirent surtout les danseuses. Quant au principal intéressé, il remplit loyalement son contrat jusqu'au bout, inaugurant les locaux de l'Ecole pour laquelle il s'est battu, auditionnant de nouveaux danseurs et accompagnant les tournées d'Espagne, d'Italie, du Japon. Par chance, la saison 1990 n'était pas prévue comme créative mais plutôt axée sur la tradition : Nancy découvre ainsi *White Silence* qu'elle n'avait pas encore vu et une importante reprise des *Forains*, une ancienne chorégraphie de Roland Petit imaginée en 1945 sur la partition d'Henry Sauguet. « Ce ballet, disait le délicieux Sauguet, avait été créé pour le divertissement d'un soir. Nous n'avions absolument pas pensé qu'il pourrait avoir un avenir ». Ce coup d'œil sur la vie d'une journée d'un baladin est pourtant devenu l'un des plus représentatifs du style Petit un peu partout dans le monde. Pour le rôle de la petite fille, le chorégraphe qui vient remonter son ballet sur place, a choisi une élève de l'école de danse de l'Opéra de Paris, Fanny Fiat.

Dupond, lui, continue de vivre avec la compagnie ses plus fortes expériences de danseur. Dans une série de représentations à l'Opéra de Nancy en janvier 1990, il incarne pour la première fois l'Apollon Musagète de Balanchine : ce périlleux exercice de style est particulièrement redoutable pour un artiste aussi dionysiaque que lui. Collant exactement à la partition d'un Stravinski grisé par un retour soudain à l'académisme, le ballet est emblématique, particulièrement représentatif du style géométrique du chorégraphe. Dans son évolution de l'Apollon adolescent vers les formes pures de l'intelligence et de la plastique, Dupond montre une rigueur et une affirmation de soi nouvellement acquises dans l'ordonnancement autant que dans l'expression. Pour ses trois partenaires, Nancy Raffa, Alexandra Wells, Nadine Froment, qui alternent avec Isabelle Horovitz, Isabelle Bourgeais et Françoise Baffioni, c'est une expérience profonde que cet échange. Lui a donné de son énergie pour rajeunir un groupe et le groupe l'a mûri : c'est une véritable osmose d'énergie qui vient de se vivre en deux années. Elle a la portée sacrée d'un échange.

Questions de gestes

Une trentaine de danseurs qui d'artisans ne demandent qu'à redevenir artistes pour peu qu'on leur fasse réinventer les gestes, un pivot central qui suscite, cristallise et diffuse les courants, quatre personnalités qui se livrent par le mouvement : sur deux années d'un travail neuf, où cette poignée de présences s'entrechoquent et se fondent, le Ballet Français de Nancy devient le lieu géométrique d'une excitante émulation, un support pour la créativité, un moteur pour la sensibilité des publics les plus dissemblables. Dans ces quelques séquences de danse à l'avenir incertain, la compagnie capte plus l'attention qu'avec les fragiles instantanés du passé que l'on appelle répertoire et dont on rêve qu'ils deviennent certitude. Le mécanisme de ce rayonnement est aisé à comprendre : pour l'interprète, le moment où le chorégraphe va vers lui et le choisit, crée entre eux une fusion amoureuse ou haineuse puisque chacun des deux ne peut se réaliser sans l'autre. Béjart a ainsi évoqué cette rencontre. « Là dans un coin de studio, Lui, Elle, nature vivante, dansante, pensante, imprévisible, qui attend aussi, soupèse mon inspiration. Cette nourriture qui va nous faire vivre et par là même témoigne que mon œuvre existe ». Peu de prises de rôles effectuées dans les traces de ses devanciers à l'exception de

quelques œuvres emblématiques, peuvent pour le danseur égaler la griserie de cette alchimie, tant il est vrai qu'il est plus l'interprète de quelqu'un que de quelque chose. Les quatre jeunes chorégraphes avec lesquels se joue la partie nancéienne, l'Américain Ulysses Dove et les Français Thierry Malandain, Pierre Darde et Daniel Larrieu n'offrent guère de terrain de rencontre. Dans les retombées qui ont suivi l'explosion de la *modern dance* sur l'Europe depuis vingt ans, ils sont aux points cardinaux ; leur confrontation, si elle suscite le choix du spectateur, l'enrichit surtout par la modernité du panachage : de ces faisceaux croisés émerge non pas une vérité mais une énergie, une incitation à mieux recevoir les questions qu'éveille la danse. La multiplicité simultanée des formes permet

que l'on y soit moins inféodé. Une fois de plus parmi Barthes, Lipovetsky, et Garaudy, on peut en revenir à Pouchkine : « l'essentiel en art est le style et non la vérité » et au vu des multiples possibilités de créations, accepter de n'y voir qu'une forme donnée aux interrogations, non une solution.
Création, création, le mot finit par agacer, tant notre époque le jette à tort et à travers, face aux formules prétendûment éculées que lui présentent tradition, héritage, culture ! Aujourd'hui on ne crée pas quelque chose, on « crée », le verbe est en passe de devenir intransitif. Si grande est la peur de tomber dans l'immobilisme que l'on impute au siècle passé, si rigides paraissent les indignations qui ont accompagné la naissance des dieux que nous adorons aujourd'hui, Baudelaire ou Wagner, Manet ou Stravinski, si touchante est l'idéalisation de la liberté de l'artiste que l'on se trouve absous d'accepter toutes les démarches, pourvu qu'elles se proclament créatrices. Dans la danse qui trop longtemps a fait figure de divertissement, c'est surtout depuis une trentaine d'années, l'irruption de concepts qui lui paraissaient jusqu'alors étrangers : l'existentialisme, l'abstraction, le dadaïsme, les déviations les plus extrêmes du minimalisme, du corps non « corporel », la provocation pure, ou les techniques d'écoute de soi

empruntées aux arts martiaux orientaux.

Le chorégraphe contemporain, honteux d'avoir été source de plaisirs, redresse la tête, se coupe d'un vieux rêve de beauté. La danse se met à véhiculer tous les extrêmes pourvu qu'ils ajoutent la concentration aux techniques mécaniques et surtout qu'ils puisent à l'inconscient : « Tout geste a un sens, proclame dans les années trente Martha Graham, qui impose la *modern dance*. « Aucun n'en a », lui répond trente ans plus tard Merce Cunningham, le maître du collage. Chez l'un comme chez l'autre, il s'agit de subi, non de voulu.

Le chorégraphe devient donc un bastion avancé de l'investigation philosophique. Au lieu de tracer à grands traits, il avance à tâtons, fuyant laborieusement les enchaînements qui pourraient créer entre les gestes une logique artificielle : c'est le cas des épigones de Cunningham. Ou bien il lâche le corps dans une sorte d'agitation qui peut le conduire à des délires oniriques comme chez Carolyn Carlson, ou gymniques comme chez Dominique Bagouet, l'un des rares chefs de file d'une génération qui prétend relativiser les modèles, en les multipliant. La sphère de création en devient d'autant plus floue qu'aucun produit commercialisable ne prolonge la fugacité de ce travail. Pour une Maguy Marin, dont le ballet *Cendrillon* se trouve colporté dans le monde entier par une compagnie classique, celle du Ballet de Lyon, combien préfèrent lancer le pari fou d'une création qui ne deviendrait pas objet de consommation et dès lors, répugnent à constituer leurs œuvres en répertoire. Celui-ci serait bientôt digéré selon les habitudes de pensée du spectateur, enclin à savourer ce qu'il a aimé.
Garder présente la vivacité du doute par la pluralité des expressions, c'est une des options fondamentales, hélas négative, de la création

contemporaine. D'où cette liberté qu'en retire sa démarche, d'autant vouée à l'échec qu'elle refuse de se systématiser : « nous sommes bio-dégradables » dit Daniel Larrieu, ce qui rend encore plus difficile la rigueur dans les choix. Pour l'artiste affronté à cette idée, donner une de ses œuvres à une troupe qui la fera vivre loin de son regard, comme Larrieu l'a fait à Nancy, représente un jalon dans la durée auquel il n'est pas habitué.
La révolution du regard sur le corps s'accompagne d'une révolution des mots. Certains deviennent tabous, ou honteux : ridicule l'idée de ballet, réactionnaire celle d'étoile, caduc ou irréaliste le rêve de beauté, obsolète le débat sur l'art, vulgaires parfois les conventions du spectacle. Comme en musique, le terme d'œuvre jugé trop prétentieux, disparaît au profit de « pièce ». Toute projection vers le futur est bannie, la conscience de soi préférée au don. La phénoménologie des gestes chez Merce Cunningham, le kaléidoscope de mouvements chez Nikolaïs, remplacent l'idéalisation des lignes, la transfiguration du corps.

La danse a mis longtemps à tenir sa place avec cette insolence face aux grandes cassures des autres arts. Le premier vrai scandale de son histoire, la création du *Prélude à l'Après-Midi d'un Faune*, de Nijinski, est en retard de quatre-vingts ans sur la bataille d'*Hernani*, de quarante-cinq sur la mise à l'index des *Fleurs du Mal*, de trente-cinq sur le choc de *Carmen*. Comme si n'ayant pas encore conquis son autonomie, elle restait en deçà face à la musique et à la littérature. Pourtant si *Hernani* est reçu et rejeté comme un manifeste du romantisme, la *Sylphide* sa presque contemporaine, où Marie Taglioni apparaît pour la première fois sur les pointes (d'autres tentatives l'avaient précédé à Paris, Vienne et Moscou mais sans grand bruit) coïncide elle aussi avec la fantasmagorie de l'époque. Il en sera de même pour *Giselle* dix années plus tard.

En fait elles sont moins novatrices qu'il n'y paraît. Certes, le thème que l'on retrouve dans les deux, avec plus de force dans le second, celui de la séparation de l'âme et du corps concrétisée par l'amour d'un mortel pour un esprit est l'un des leitmotive cueillis opportunément par la danse dans la littérature romantique. Certes il s'agit bien d'une des dernières flambées artistiques du christianisme courtois, mouvement que l'Eglise curieusement n'a pas su récupérer : c'est l'idéalisation de la femme devenue vierge rédemptrice. Appel de l'au-delà, la ballerine romantique existe essentiellement par son profil que prolonge parfaitement l'arabesque. Yeux baissés, habitée, elle montre un chemin. Mais la technique et la structure des ballets, si les thèmes sont au goût du jour, n'ont pas véritablement évolué depuis l'époque classique : la répartition des rôles est toujours d'essence aristocratique, marquée par l'étiquette. L'étoile au centre est d'une nature différente de ceux qui l'entourent, régie par une hiérarchie presque militaire : corps de ballet, troupes, compagnie, les mots sont explicites. Les Sylphides, plus tard les Cygnes ne lèvent guère les yeux quand s'accomplit le pas de deux central, comme un mystère sacré.

La technique, elle, si elle accentue le travail de légèreté pour y faire valoir les pointes, demeure fixée sur les fameuses cinq positions codifiées sous Lully. Synthèse de coordination des mouvements qui doit donner l'impression que le corps maîtrisé projette l'image d'une harmonie universelle : il s'agit au fond de le briser pour le faire renaître. Le déroulement d'un cours reste un exemple d'équilibre classique : mise en place, andante, allegro. Les choses vont aller en se fossilisant dans la deuxième moitié du XIXe siècle, époque « qui n'a plus besoin de danse » dit Serge Lifar. D'inspiratrice des poètes, la ballerine devient surtout l'objet de convoitise des abonnés, reléguant dans les coulisses le danseur qui joue exclusivement les porteurs.

Ceci jusqu'à l'arrivée des Russes en 1909. Les Droits de l'Homme décidément n'ont pas pénétré les structures chorégraphiques. La vague d'assaut viendra d'Amérique par le biais des femmes : d'abord avec Isadora Duncan. D'autant plus logiquement qu'il n'y a pas de tradition du ballet aux Etats-Unis. Quelques vedettes y ont connu des triomphes dans les années 1850 comme Fanny Elssler, triomphes d'autant plus énormes que les occasions en sont rares. Anna Pavlova éblouit en 1910, mais la danse académique n'y prendra son essor qu'avec l'immigration russe, la venue de Léonid Massine et Georges Balanchine.

Isadora, attendrissante dans son désir rousseauiste de revenir à un paradis perdu du corps, croit recréer les poses naturelles de la danse antique. Mais surtout elle libère le corps du corset et du chausson classique et lui cherche confusément une autonomie. Son séjour en Russie sera capital puisqu'il jettera dans l'esprit de Fokine, le chorégraphe des Ballets Russes, et partant, de Nijinski, le trouble qui conduira aux audaces de Schéhérazade, et surtout du Faune et du Sacre du Printemps. Avec son parfum de scandale érotique, Le Faune, à sa création, est perçu comme une provocation aux bonnes mœurs ou comme un exercice esthétique. Il est en fait une révolution dans l'intériorité du corps en mouvement, par la condensation du geste au lieu de son développement, orgasme au lieu d'orgie. Nijinski n'en retira aucun profit, d'autant plus que sa chorégraphie n'utilise aucun des atouts qui ont fait sa réputation, mais son effort pour capter tous les possibles d'un mouvement, de le sortir du temps et de l'espace, n'en finira pas d'être récupéré par des décades de chorégraphes.

L'autre école qui bouleversera l'Europe sera celle, très théâtrale, de Martha Graham, d'un dramatisme qui puise sa force dans les mythes de l'antiquité grecque. On observe d'ailleurs dans tous ces mélanges culturels un amusant jeu de ricochets : la modern dance américaine qui renouvelle la vision du corps en Europe naît chez ces prêtresses d'un retour aux sources du vieux continent, relu chez Martha Graham derrière la grille de Freud et de Jung. Et comme d'habitude cette révolution sécrétera dans son sein les plus violentes contestations. Le danseur, en tous cas, aura retrouvé, et ce sera un acquis qu'il gardera, le droit à la respiration, il cherchera l'équilibre non plus dans le seul nœud musculaire, mais dans une bascule plus proche de la vie. Flexion-extension, contraction-décontraction.

En France, la jeune garde va commencer à se faire entendre après 1968. C'est l'époque où Jacques Garnier et Brigitte Lefèvre, brillants danseurs de l'Opéra de Paris osent se couper de la maison-mère pour fonder le Théâtre du Silence. Aux épigones de Cunningham parmi d'autres influx, vont s'ajouter les émules de Susan Buirge, venue des Etats-Unis et du japonais Hideyuki Yano. Après être passée de la Cour à l'Olympe puis au trottoir, la danse, par la complexité de ce qu'elle ambitionne, va devenir gibier d'universitaire. Quand elle ne se fait pas l'alliée de la mode, pour le Défilé réglé ensemble par Jean-Paul Gaultier et Régine Chopinot. Des noms émergent, dont plusieurs ont de solides implantations ou des subventions : Dominique Bagouet, Jean-Claude Gallotta, Daniel Larrieu, Corinne Obadia, Catherine Diverres...

Mais si tous ces jeunes gens peuvent crier librement à tous les échos leurs désespérances, leurs dérisions ou leurs délires imaginatifs, remettant parfois le concept de danse au vestiaire pour errer entre gesticulation et immobilisme, si ce chaos d'initiatives dont beaucoup débouchent sur une impasse a trouvé l'écoute bienveillante des pouvoirs publics, ils le doivent à celui qu'ils décrient à peu près tous ; Maurice Béjart. C'est à ce vrai chantre de son époque qu'il revient d'avoir arraché la danse à son ghetto maniériste, d'en avoir fait un moyen de communication avec les foules, d'avoir abattu les préjugés sociaux qui entravaient son développement. La fête dansée où il va voir une résurgence d'un phénomène sacré, c'est bien lui qui a su l'imposer grâce à des thèmes éternels, lisibles par tous, autour desquels il dispose son énorme bagage de voyageur du temps et de l'espace. Ainsi se renouent les rapports du ballet et du culte, fondus aux origines et tous deux d'une grande théâtralité. C'est l'apparition dans le ballet non plus seulement de l'idée de voyage mais d'un syncrétisme religieux où se reconnaît notre époque de mixité : la grande fraternité des panthéons, « si tous les dieux du monde se donnaient la main », un fourre-tout idéologique d'où émergerait un bien commun. Car Béjart, méditerranéen mystique est un positif : dans son œuvre la vie est un chemin, la mort une transfiguration : « Nous croyons en l'homme, écrit-il en exergue de sa *Messe pour le temps futur*. Nos raisons d'espérer sont aussi fortes et combien plus constructives que celles de baisser les bras ».

Mais surtout, c'est un homme de son temps comme Patrick Dupond : lui aussi est une éponge. Son propos n'est pas de raconter le corps mais de lui faire raconter des histoires. Voulant vivre la danse à l'air libre et se griser d'émotions fortes partagées avec la foule, il a réussi une fantastique mutation du ballet archaïque en le faisant glisser sur lui-même pour correspondre aux nouveaux schémas de pensée. L'exotisme des divertissements est devenu cultuel, l'idéalisation du corps tourne en quête mystique, il y a toujours un centre et un pourtour, mais le prince des

contes devient le chef, le héros est seulement le meilleur : il entraîne ses camarades, montre des pas que les autres reprennent, Roméo et Juliette sont tous les Roméos et Juliettes de la terre. L'élu du *Sacre du Printemps* est désigné par ses frères, il n'est pas d'une essence différente.

Le corps du ballet, au lieu d'avoir un parcours parallèle, se mêle à la vie de l'étoile, un rapport s'établit entre le groupe et son noyau comme dans le *Boléro* ou l'*Oiseau de Feu*. Même s'il arrive fréquemment comme par le passé que l'ensemble des danseurs répètent exactement les mêmes gestes, Béjart travaille à remplacer la dépersonnalisation dans l'obéissance par une identité émotionnelle qui est effet de masse : la revue de troupes des Cygnes ou des Sylphides devient une manifestation, dans *Malraux, ou Messe pour le Temps Présent.*

Tandis que le ballet classique de cour procède d'une vision frontale sur une scène avec des plans successifs allant d'avant en arrière

et indiquant la hiérarchie, Béjart retrouve le sens de la ronde, transe bacchique où les mains qui se lient créent un cordon électrique. On sait qu'il affectionne les aires circulaires comme les stades, les arènes où les spectateurs sans discrimination de place prolongent la ronde en la doublant. Il parvient ainsi à démocratiser le ballet, tout en élaguant costumes et décors. Emblème de cette réactualisation, le corps est simplement moulé dans un collant qui devient le linéaire et pudique symbole de la nudité reconquise. Car Béjart a toujours détesté le tutu, cette projection du sous-vêtement, à savoir corset ou jupon, et particulièrement les tutus courts qu'il juge obscènes. Ils ne sont rien d'autre que de charmants écrins autour d'une petite culotte.

Voilà donc le vieux ballet dépoussiéré, opérationnel, œcuménique !
Béjart a su coordonner les initiatives des autres chorégraphes pour les rafraîchir, celles de Roland Petit par exemple. Les œuvres les plus agressives de leurs débuts ne sont d'ailleurs pas sans ressemblance : de cette *Symphonie pour un Homme Seul* que Dupond a reprise avec bonheur au Ballet de Nancy, au *Jeune Homme et la Mort* de Roland Petit créé pour Jean Babilée.

Evidemment, lui reproche la jeune garde, il n'a pas posé les questions du corps face à lui-même mais s'en est servi comme d'un instrument de musique et sa révolution passe encore par la beauté des lignes. Sa grammaire est restée simple, rafraîchie de quelques poses caractéristiques et d'ornements souvent symboliques à de rares exceptions près lorsqu'il travaille auprès d'un seul interprète : Paolo Bartoluzzi dans *Nomos Alpha* ou Patrick Dupond dans *Salomé.*

Mais grâce à une personnalité aussi motrice, toutes les autres se trouvent légitimées sinon reçues. Dans ce large spectre il appartient alors à quelques entités artistiques comme le Ballet de Nancy d'esquisser un tri. « Aller plus loin » disent volontiers les responsables locaux : donc faire le point. Et si susciter des possibles aujourd'hui n'est pas trop difficile, en fixer quelque chose l'est bien davantage. D'autant plus que l'Etat, en dépit de quelques étiquettes de diffusion culturelle, subventionne en fait un éphémère qui dit son nom, cautionnant chez les jeunes chorégraphes des sursauts d'un individualisme désespéré.

En acceptant ses fonctions de Directeur Artistique à Nancy, Patrick Dupond pèse avec clairvoyance quelle responsabilité cela représente d'être ainsi à la croisée des chemins. Lui-même se reconnaît volontiers, au niveau du goût, de la génération de John Cranko, Marcya Haydée, Maurice Béjart, John Neumeier, Matts Ek. « Ce sont eux qui m'ont donné mes plus grands frissons, et je sais bien que je serai catalogué dans les cahiers de l'Histoire de la Danse avec l'étiquette de néo-classique, voire rétro ». Avec son faux air d'aventurier, il a besoin de l'académisme comme l'académisme a besoin de lui.

Ce qui n'empêche pas son dynamisme et son ouverture sur le siècle d'être sollicités par le champ de la découverte. Comme Béjart, s'il ne prétend pas marquer son époque, il est marqué par elle. Les choix chez lui sont affaire de choc émotionnel, non de principe intellectuel.

Mais il s'impose un critère avec lequel il ne peut pas transiger : celui de toujours sauvegarder la notion de spectacle, héritée de la Commedia dell'Arte autant que du ballet de Cour. Alors si cette dimension est respectée, pourquoi ne pas accepter Pina Bausch elle-même, avec son esthétique de la laideur, auprès de laquelle Béjart fait figure de vieux romantique attardé. Dupond,

après avoir souhaité travailler avec elle à Nancy n'a jamais caché qu'il aimerait un jour mieux pénétrer cet univers glauque, comme un exutoire, pour y laisser exploser d'autres passions, y jouer d'autres cordes. Malgré la complaisance douteuse avec laquelle elle plonge dans une morbidité qui remonte aux pourritures de l'époque pré-nazie, Pina Bausch demeure avant tout intensément théâtrale, et c'est pour lui l'essentiel. En revanche, Dupond avoue un rejet complet devant la démarche nombriliste du chorégraphe si tétanisé par son introspection qu'il impose au public un effort exagéré pour pénétrer sa sphère. Qui dit spectacle à ses yeux dit partage et générosité du geste : c'est bien le sens de l'expression « se donner en spectacle ». Tout se passe comme si le danseur lassé de se contempler dans un miroir avait plutôt envie de s'écouter. Fondatrice de l'Ecole Allemande, Marie Wigman, disait que « la danse est une conversation silencieuse avec son propre être par le truchement du mouvement ». Le problème est évidemment de transformer cet échange informel en un discours que l'extérieur puisse percevoir avec un minimum de cohérence. « On arrive, dit Patrick Dupond, à des aberrations telles que le public se sent gêné d'être public. Pourtant tous ces chercheurs ont besoin de faire reconnaître leur image, de se donner non plus un public mais des témoins. Pourquoi ne vont-ils pas plutôt poursuivre leur ascèse dans une retraite comme les moines ?

Moi, ajoute-t-il, je veux bien être au Ballet de Nancy ou à l'Opéra de Paris le bibliothécaire de ce qui se fait de mieux ! ». Entre séduire sans convaincre comme souvent autrefois, et convaincre sans séduire comme souvent aujourd'hui, se situe peut-être la zone ténue de ce mieux, la vraie portée du spectacle dansé.

ULYSSES DOVE

C'est « l'effet Dove », une électricité dans les mouvements de l'âme et du corps qui rend exaltant et harassant le travail avec lui et transforme les lentes formulations du mouvement classique en une sorte d'état d'urgence. Jean-Jacques Robin se souvient de sa surprise : « d'après ce que je croyais voir et savoir d'Isabelle, j'ai été stupéfait de la violence et du plaisir avec lesquels elle s'est jetée dans ce ballet ». Avec son langage moderne et vitaminé, Dove permet pour un temps de calmer une angoisse qui habite presque tous les danseurs académiques : le sentiment que le raffinement de leur technique en limite le champ et les isole de l'actualité comme d'élégants fossiles. A l'inverse des danseurs contemporains que n'entrave pas leur faible audience, tant, resserrés qu'ils sont dans des cénacles d'intellectuels, ils vivent leur recherche avec des extases de cénobites.

Il n'a jamais été utile d'être familier de l'Opéra pour mordre à la leçon de Béjart, ni de maîtriser trois siècles de culture de l'en-dehors pour acclamer Dupond pirouettant sous les paillettes de Don Quichotte. Il n'est pas non plus nécessaire d'être passé par l'université pour rentrer dans l'univers d'Ulysses Dove. L'effet de choc d'une chorégraphie qui n'engage pas à la réflexion, et les musiques qu'elle utilise, jazz ou

sabelle Bourgeais, soliste du Ballet Français de Nancy où elle s'est immergée dès sa création en 1978, est une petite personne à la silhouette fine, au regard clair, au style léger et précis, le profil rêvé pour *Coppélia* ou la poupée de *Pétrouchka*. Avec Françoise Baffioni, brune et malicieuse, charme gavroche qu'un Roland Petit pourrait à merveille exploiter, elle forme pour la compagnie un duo de chic, dans la gamme discrète que l'on aime volontiers en France. Les exquis ballets qui

les ont mises en scène avant janvier 1988, des *Biches* et de *Symphonie in D* à *Suite En Blanc*, n'ont pas forcément contribué à faire affleurer chez elles une sensualité torride. Six mois plus tard *Faits et Gestes* les propulsent sur la scène du Palais des Sports parisien, métamorphosées en égéries new-yorkaises, farouches et survoltées, princesses de métro explosant du mal de vivre. Toutes crinières et agressivités déployées, le duo de chic est devenu duo de choc.

percussion, celles-là même que les walkmans véhiculent à longueur de journée, sécurisent un public jeune. Le tout scandé comme une provocation par le bien traditionnel chausson à pointes. Ce sont à coup sûr des ingrédients de spectacle, sorte d'exigence morale, on l'a dit, dans le choix de répertoire que fait Dupond.

L'impact d'un instantané, mais au bout d'un cheminement personnel qui reflète huit décades d'histoire des Etats-Unis, voilà ce qu'apporte la plongée dans l'univers de Dove. Techniquement Patrick Dupond le décrit ainsi à Chantal Aubry : « une fusion très libre des écoles américaines, de Graham à Ailey et Cunningham ». C'est-à-dire un bouillonnement de formes où la vague freudienne du début du siècle, les pseudopodes de la culture allemande malade fuyant vers le Nouveau Monde, les retombées d'Hiroshima avec l'attrait croissant pour les doctrines orientales, et notamment le bouddhisme Zen, enfin la remontée des racines ancestrales, dessinent des vagues contradictoires en réaction les unes sur les autres pour en arriver à une sorte de prototype.

Cet Américain pas tranquille vient de Columbia en Caroline du Sud où il est né en 1947 d'une mère professeur et d'un père tapissier ; on souhaite faire de lui un médecin : d'emblée la quête du corps régit sa vie. Lorsque s'impose son besoin de danser, et qu'il s'y consacre au Bennington College, il lui faut pour contrebalancer cette emprise, étudier l'histoire des religions, les philosophies orientales. Le caractère disloqué et désespéré de ses chorégraphies viendra peut-être d'une dichotomie, d'une impossibilité chez lui à résoudre l'alliance du corps et de l'âme, là où Cunningham réussit si parfaitement.

La présence physique de ce colosse noir est palpable : entre ses mains qui les tordent et les démantibulent, ou les immobilisent, les danseuses de Nancy auront l'air de Desdémone broyée par Othello. Crise de jeunesse et désir d'absolu, cet intellectuel à la stature de guerrier va d'abord s'enfermer dans la chapelle de Cunningham, pape du mouvement pur, détaché de toute contingence émotionnelle, comme Martha Graham, chez qui Cunningham travailla d'abord, l'avait été du geste signifiant. Chez celle-ci le geste était en quelque sorte comme pré-existant à lui-même ; chez Cunningham, il va être un fait en soi, à affiner et à détacher de son habituel support musical. Avec les tableaux blancs de Rauschenberg, et les séquences aléatoires de John Cage, les œuvres de Cunningham, dès les années 50, apparaissent comme une apologie du collage. Le principe de ce spectacle, déroulant arbitrairement dans tous les sens et sans rencontre obligée des notes et des gestes minutieusement préparés, leur apparaissait comme la démarche la plus honnête possible. Une façon de faire des ronds dans l'eau en ayant bien préparé sa pierre, de s'asseoir et de regarder jouer ensuite les mécaniques de l'univers. Après l'ivresse des révélations de Martha Graham, croyant retrouver l'unité du geste et de la pulsion, c'est l'humilité suprême, ou l'orgueil de la création détachée de l'individu. Tout en prétendant s'inspirer de la vie par la juxtaposition scénique de mini-séquences non centrées, et sans lien logique, comme le quotidien le propose à chaque instant.

Cet art parfaitement asocial, parce que dans sa totale absence de repère il est irrécupérable par un système politique, n'est guère tendre pour son public qu'il estime plus qu'il ne lui fait plaisir. A moins qu'on n'y voit des apparences de canular dû à un vestige de Dadaïsme. Mais il n'est pas davantage tendre pour lui-même : comme toute doctrine aiguë, il ne doit son expansion

qu'à des prophètes d'exception. Du sous-Béjart est viable, du sous-Cunningham intolérable. Pour rendre cette abstraction supportable, ce dernier a créé une école d'une grande rigueur, où la concentration, la répartition de l'équilibre du corps, sa souplesse, et ses torsions valent largement la trique du ballet classique. Il aspire et parvient à créer des gestes d'une beauté aussi absolue qu'inexpressive dont aucun rattrapage théâtral ne pourrait gommer les imperfections. Si ses spectacles sont parfois d'un terrible ennui, les photos témoignent de cette grande qualité esthétique.

Impossible pour les danseurs de jouer ici des rôles. Pour supporter de n'être plus qu'un rouage, il faut adhérer à un système qui confine à la philosophie. Elle est loin l'époque de la danseuse demi-mondaine, il s'agit désormais de puiser sa force dans la fréquentation du Zen, mode galopante dans l'Amérique de l'après-guerre. Alors dans ces conditions pourquoi être vu ? Sans doute parce que Cunningham veut faire avec les corps humains la même chose que les moines japonais avec leurs jardins de pierres.

Engagé chez Cunningham après avoir suivi ses cours pendant seulement deux semaines, Dove joue le jeu pendant trois ans avec un engagement total, puis se rend compte qu'au lieu d'être libéré il étouffe. L'ascèse de Cunningham ne prend guère en compte l'animalité du corps, et le sien a besoin pour vivre de laisser exploser sa charge émotionnelle. Et surtout cette école le prive de rythme : lorsqu'on voit avec quelle frénésie il en fera plus tard le support de ses ballets on peut deviner à quel point la frustration a été dure.

Toujours enfoui dans ses perpétuelles contradictions avec lui-même, il prend, après un passage à vide, une toute autre orientation en entrant dans la compagnie d'Alvin Ailey.

De la leçon de Cunningham il gardera les clés essentielles : celles de la rigueur, de la concentration, du refus de l'anecdote, de la mise en scène de l'instant. Célèbres sont les pièces de Cunningham appelées *Events*. En ricochet, les ballets de Dove se nommeront *Episodes*, *Pieces of Dream*, *Faits et Gestes*, *White Silence*. Des titres qui se veulent réducteurs, détachés. Mais ce qui chez Cunningham était un simple état sans début ni fin, deviendra chez lui une absence de sens, une interrogation lancinante. L'entrée chez Alvin Ailey pour le jeune homme désemparé (il a 26 ans) doit ressembler à un retour dans le ventre maternel. Il se cherchait détaché, japonisant, il se retrouve noir américain sur la piste de son héritage africain. Retour à la case départ. Chez Ailey, on parle d'émotion, de générosité, d'amour ; le corps s'exalte au contact avec la terre, s'enivre de sa propre frénésie, la douleur s'y apaise dans une expression collective, sans oublier le glamour et un lyrisme parfois aux limites du sirupeux. Il y apprendra les secrets d'une fluidité, d'une élégance sans rigidité, que ses interprètes nancéiens auront du mal à intégrer.

Le personnage d'Alvin Ailey est extraordinaire. Fils d'un fermier noir du Texas il est à la fois homme de théâtre et de culture, il a reçu tous les messages de l'avant-garde de son temps, travaillé les styles les plus opposés, de l'académisme à la comédie musicale, avant de mixer tous ses apports en une généreuse synthèse.

Contrairement à Dove qui apparaîtra souvent comme un rebelle, assumant mal sa couleur, lui puise dans ses racines la force et la joie d'être. C'est une représentation du ballet folklorique de la prestigieuse Katherine Dunham, anthropologue et danseuse, qui a décidé de son orientation. Le mariage de la plastique noire avec la sophistication des techniques nouvelles lui vaut un succès immédiat, et dès sa création en 1958 sa compagnie essaime dans le monde. A eux deux ils ont introduit les rythmes noirs dans le ballet américain, des percussions aux *gospels* pour le plus célèbre ballet d'Ailey *Révélations* : il y récupère les plus beaux gestes du style Graham, les prostrations de tête, les flexions du torse, l'étirement des bras, les mains ouvertes sur l'interrogation.

Chez Ailey, après s'être repris, Ulysses Dove recommence sa quête : le temps de sept années de réflexion. A force de réagir négativement aux chorégraphies nouvelles qu'acquiert la troupe, il se rend compte que sa voie est sans doute de décider lui-même, et teste son premier essai : *I see the moon... and the moon sees me* ainsi qu'en 1980 un solo *Inside* pour Judith Jamison, star de cette compagnie. Avec suffisamment de succès pour que celle-ci le danse immédiatement à l'un des fameux Nijinski-Gala que John Neumeier organise chaque année pour couronner ses saisons de Hambourg.

En 1981, c'est une sorte de retour à la case Cunningham. A l'appel de Bernard Lefort alors Administrateur Général de l'Opéra de Paris, Jacques Garnier, quittant le Théâtre du Silence, petit groupe dissident qu'il a créé en 1972 avec Brigitte Lefèvre, est chargé de prendre la relève de Carolyn Carlson. Celle-ci est installée depuis 1975 dans une sorte de bastion avancé du Palais Garnier, pour y défendre la danse contemporaine. Prend ainsi naissance le G.R.C.O.P., sorte de réserve d'oxygène pour une douzaine de danseurs qui désirent se diversifier sans faire sécession. Si l'éventail est large la mouvance demeure celle de Merce Cunningham qui a le plus impressionné cette génération. Garnier a souvent travaillé avec lui aux Etats-Unis ainsi que chez Ailey. Il demande à Dove de se joindre à lui. Après le Zen et le gospel le voici à l'Opéra à la frontière de l'enseignement et de la création. Un très beau ballet concrétisera cette collaboration en 1981 : *Pieces of Dream*. Une aube, des traces de rêves de la nuit, des parcours fragmentés, des diagonales, une musique répétitive de Steve Reich, le style est déjà bien en place en moins violent. La critique accueille avec effusion le résultat de ce travail de longue haleine. « C'est avec ce genre de procédé que le G.R.C.O.P. évoluera » assure André-Philippe Hersin dans les *Saisons de la Danse*. Il est amusant de constater que cet art brandi comme populaire par le Ballet de Nancy a commencé sa carrière en France dans le plus austère des cénacles.

Patrick Dupond, qui s'est émerveillé de ce ballet, fait la connaissance de Dove aux Etats-Unis et assiste à quelques-uns de ses triomphes, notamment à Los Angeles. Car après sa période de trois années, au G.R.C.O.P. le danseur définitivement mué en chorégraphe, s'est coupé de toute structure permanente : on le voit au London Festival Ballet, au Ballet de Bâle, au Ballet-Jazz de Montréal, au Nouveau Ballet de Caracas, et encore chez Alvin Ailey où plusieurs de ses œuvres s'inscrivent au répertoire de la compagnie.

C'est ce personnage séduisant et écorché, sympathique et ombrageux, cachant ses angoisses sous des apparences de décontraction et hanté par un désir d'humanité et de fraternité, que les danseurs de Nancy voient arriver en mai 1988, un mois avant leur venue au Palais des Sports. Une sorte de sombre émanation d'Alvin Ailey, qui semble avoir trouvé son identité du moment dans l'agressivité. Pendant plusieurs années, sa créativité consistera essentiellement à crier des désespoirs, coupés par de très rares moments de lyrisme qui en atténuent la sauvagerie.

Chez Ailey, la souffrance montait encore de la terre et des champs de coton, elle s'exhalait sous forme d'une lamentation collective typique des Noirs opprimés. Ici elle va sourdre des ghettos des villes et de leur indifférence meurtrière, et prendra la forme de la provocation. Quelques images caractéristiques : les ballets d'Ailey montrent souvent des corps ployés vers l'arrière, des visages illuminés, des bras levés aux mains ouvertes vers le ciel tandis que le pied nu fouille le sol nourricier. Chez Dove, l'extase n'a pas cours : les personnages s'affrontent de face, s'attaquent et se harponnent comme des scorpions, la haine et l'amour ont le même visage. Lorsqu'un corps se cambre il ne décrit pas une courbe, mais se cabre, se casse. Les sauts n'y sont pas élévation, allégement, liberté, mais prise de possession de l'espace pour mieux provoquer l'autre.

En toutes circonstances il déteste les préparations, ces temps de répit qui permettent aux danseurs classiques d'attaquer d'autres enchaînements. Sa danse est un mouvement perpétuel, mais ne dispense pas une miette de joie, sinon pour le danseur le simple plaisir animal de bouger. Mouvement brisé, soubresauts, courses brusquement freinées, rien ne prétend chez lui à la continuité.

Ulysses Dove est un homme de profonde culture, passionné de philosophie, de littérature, grand lecteur de Hesse et de Mishima, fou de musique classique. Il ne leur laisse pourtant que peu de place dans ses ballets. Les quatre vus à Nancy et celui présenté à l'Opéra sont construits sur des musiques *new wave* ou répétitives, sortes de continuation de la litanie antique, mais donnant sur le vide. La danse y adopte le même processus : des suites de gestes différenciés, comme enclos dans une cellule rythmique et visuelle de base et rarement un chant du corps l'apparentant à une mélodie qui lui ouvrirait un chemin. C'est Cunningham à l'africaine, revisité par la brutalité aveugle du ghetto.

Un lourd héritage à porter pour les danseurs de Nancy et qui va leur demander un très dur travail : pour acquérir cette souplesse et cette violence conjuguée dans un style qu'ils ne connaissent pas du tout, cinq mois répartis sur deux années ne seront pas de trop. Dove à son arrivée bénéficie d'une conjoncture très favorable. Il est le premier à prendre pied sur le terrain rafraîchi par Dupond et assoiffé de nouveauté. Les bonnes dispositions des danseurs, la docilité de l'étoile qui s'en remet entièrement au chorégraphe en tant qu'interprète, et lui laisse un peu la bride sur le cou, lui permettent de faire travailler la compagnie à un rythme inhabituel : parfois six heures par jour avec dix minutes de pause. Toutes les troupes ne l'accepteraient pas forcément, c'est dire avec quel enthousiasme il est reçu. Les danseurs ont le feu sacré : « en préparant le spectacle qui allait être présenté au Palais des Sports, nous sentions que nous devions défendre notre compagnie et qu'il fallait s'en remettre à ses exigences ».

Quant à Dupond, il s'est lui aussi jeté complètement dans l'aventure. Il déclare par exemple à Rafael de Gubernatis : « Ulysses, j'y crois à 1 000 %. Dans ses chorégraphies,

l'engagement physique et mental du danseur doit être absolu. Il vous pousse sans pitié à l'extrême limite de vos possibilités ». Sur scène le résultat est percutant. Quelques-unes de ses méthodes viennent tout droit d'Alvin Ailey, l'autostimulation, l'état d'excitation entretenu chacun jusqu'à l'hystérie et explosant de temps en temps sous forme de crise de nerfs. Il suscite un esprit d'émulation, de combativité. Ce côté défi à l'américaine n'est pas sans rappeler les techniques de l'Actors Studio, ou le regard aigu d'un John Neumeier utilisant la vie, voire les dissensions intimes de ses danseurs pour créer un fond d'une extrême tension sur lequel puisse se détacher les images brûlantes de *La Passion selon Saint Mathieu*, son œuvre la plus ambitieuse.

Heureusement Dove jure en anglais. « La deuxième année, au Palais des Sports, se souvient Isabelle Bourgeais, il nous réunissait chaque après-midi et nous faisait un des quatre ballets à fond ; nous étions couverts de bleus, morts de fatigue à la fin du spectacle, et tellement anxieux de sa réaction... ». Musculairement, pas une seconde de répit : il faut courir, tourner, tomber, sauter et encore courir, passer sans cesse de la spirale à l'angle droit. Les techniques de la spirale qui permet d'investir la troisième dimension, peu développée dans la grammaire classique, et de la chute contrôlée, le genou servant de pivot pour mieux épouser ou repousser le sol, sont des héritages de Martha Graham qu'Ulysses Dove utilise abondamment. La grande élasticité qu'elles requièrent s'obtient dans les ecchymoses, les contusions, et les « cassures » de dos. Ce fameux « dos droit » caractéristique des danseurs est ici secoué d'ondulations brusques d'avant en arrière où l'on reconnaît l'inspiration africaine. Après plusieurs mois de ce régime en 1989, les danseurs ont le plus grand mal à récupérer le maintien rigoureux qui convient au délicat *Vaslaw*, repris à l'automne.

De cette houle de mouvements, le chausson à pointes émerge, survivant inattendu ; logiquement Dove aurait dû le rejeter : toutes les chorégraphies de Graham, Cunningham, Ailey, s'exécutent pieds nus, ou à la rigueur en demi-pointes. Les siennes aussi, jusqu'à présent. L'idée lui vient, en regardant travailler la compagnie, que la pointe dessine des lignes intéressantes qui peuvent être un apport expressif différent de leur symbolique traditionnelle d'élévation et de légèreté. Dès lors, cet appendice recourbé redouble l'agressivité, déchire l'espace, pique le sol comme des mains qui claquent. Une difficulté supplémentaire pour les danseuses peu habituées à être arrachées du sol et à se projeter brusquement sur pointes sans transition. Heureusement, le fruit de ces tortures leur vaut un triomphe, en juin 1988, où le premier ballet présenté par Dove au Palais des Sports, *Faits et Gestes*, ouvre des horizons au public.

faits et gestes

Seize minutes où l'attention ne se relâche pas un instant. Dove a le goût des ballets à transformation. Il adore les faire muer, les adapter à d'autres contextes et s'amuser de leur voir mener une vie indépendante. C'est ainsi que *Faits et Gestes*, fruit de sa première collaboration avec Nancy, est en réalité une seconde peau de son ballet *Episodes*, monté au London Festival Ballet de Peter Schaufuss, où Patrick Dupond l'a vu. Le ballet est ensuite inscrit au répertoire de la Compagnie Alvin Ailey. Pour désigner ses interprètes, Dove a longuement regardé travailler les danseurs de Nancy. Il jette son dévolu sur ceux qui lui paraissent les plus tendus. Autour de Dupond, quatre filles, Baffioni, Bourgeais, Raffa, Wells, cinq garçons, Anota, Alonso, Basile, Lemire, Reichert. Comme beaucoup de ces instantanés qui défilent chez Dove, *Faits et Gestes* se raconte peu, c'est un coup de projecteur sur des bouts de rencontres, des énergies qui se croisent et se décroisent, sans début ni fin. Les costumes de Jorges Gallardo, mi-jupettes mi-combinaisons noires pour les filles, collants pour les garçons, cherchent à créer une impression d'anonymat. Les décors consistent seulement en effets de lumière : dans la pénombre jaillissent une diagonale, puis deux, elles se succèdent ou se croisent.

Le chorégraphe les a voulues images du passé et du futur, trajectoires à peine différenciées sur lesquelles s'inscrivent les empoignades des danseurs. Sur des séquences de batterie composées par Robert Ruggieri, dont il a déjà utilisé la musique pour *Inside*, des couples se piétinent, se mêlent, s'affrontent. Les danseurs n'élèvent pas leurs partenaires dans les airs, ils les basculent, les arrachent du sol ou les y projettent.
Toutes les entrées se font en courant, comme si la scène captait un personnage au milieu de son parcours. Les hommes se heurtent ou se soutiennent le temps d'une seconde d'apaisement, des combats s'esquissent qui évoquent les luttes du *Sacre du Printemps*, de Béjart. Les filles séduisent violemment, crispées dans l'offrande ou dans la provocation, se plaquent sur le dos de leur partenaire ou restent foudroyées, bras tendus, dans leur demande inassouvie. Les gestes claquent comme des injures, les regards sont durs, les visages crispés. Des martèlements exaspérés succèdent aux tournoiements. Le rythme se précipite, se déchaîne, propulse un danseur à la limite de l'hystérie, puis l'arrête dans son élan. De temps en temps, un grand jeté classique troue l'espace comme un projectile.

Aucun chemin ne se dessine au milieu de cette fièvre dynamique, seulement des grondements des âmes et des corps dans une ambiance étouffante. Une seule accalmie lorsque Isabelle Bourgeais, repliée sur elle-même, bat des ailes comme un oiseau, et frémit à l'appel d'un nom qu'on lui chuchoterait dans l'oreille.
« Danse, danse comme si ta dernière heure était arrivée » lui dit le chorégraphe avant de la jeter en scène. On rampe peu dans *Faits et Gestes*, cette maladie du ballet contemporain à laquelle Dove ne cède pas : ramper ce serait déjà croire en la terre, s'y raccrocher. Il n'offre même pas cette consolation à ses personnages : ils tournoient sur eux-mêmes comme des mobiles, et leur frénésie n'engendre que le vide.
Ce type d'action qui n'en est pas une est difficile à encadrer entre un début et une fin. Après avoir longuement cherché, Dove a simplement ramassé les ficelles des destinées qu'il manipulait, et fait un gros nœud avec : la musique s'éteint, le dernier couple s'éloigne. Soudain, à la croisée des diagonales, une course brusque les ramène tous : un grand piétinement désespéré et rageur les secoue d'une inutile révolte avant le silence qui s'étend comme une ombre.

Boulevard de solitude où se promènent des personnages bloqués, *Faits et Gestes* est l'un des ballets les plus spectaculaires de Dove, et sans doute celui qui a été le plus acclamé.

La puissance suggestive des lumières, l'extrême tension, le contraste des chevelures qui claquent et ondulent comme des flammes, électrisent les spectateurs autant que les danseurs. Après plus de cent représentations, ceux-ci ne s'en sont pas lassés, même s'ils admettent que cet état est difficile à garder en soi comme un dépôt, une fois le *deus ex machina* envolé. Si l'accueil de la presse et du public est généralement chaleureux, il atteint parfois à l'hystérie sur le propre territoire de Dove, aux Etats-Unis, preuve que les danseurs français n'ont pas si mal acclimaté ce style. A Atlanta, où ils se posent pour une visite éclair en mai 1989, ils font sensation : Patrick Dupond se souvient avec effarement des hululements d'Indiens poussés par les *ladies* les plus endiamantées de la ville. Dove parle aux Américains un langage qu'ils reconnaissent, mais les Français ne le trahissent pas. Réaliste cet art ? Malgré sa violence, pas une seconde. Dove supprime toute personnalisation, et au sein des gestes les plus crus, les plus proches du langage usuel, tel l'étreinte ou la claque, atteint à une sophistication de prototypes. On est empoigné, pas ému. Comme s'il était trop tard.

En France, quelques-uns croiront déceler dans *Faits et Gestes* une parenté avec *Love Songs* de William Forsythe, lequel bénéficie de toutes les indulgences depuis qu'il a créé pour l'Opéra de Paris un ballet où Sylvie Guillem a fait sensation : *In the middle, somewhat elevated*... Dupond, qui a dansé des extraits de *Love Songs*, avait également souhaité le donner à Nancy. Par chance pour Dove, le ballet de Forsythe est postérieur au sien, et celui-ci n'avait jamais vu *Episodes*. Là aussi ce sont simplement des diagonales qui se croisent.

Bad Blood

De la même veine agressive que *Faits et Gestes*, mais plus « mode », ce ballet était parfaitement en situation dans l'arène du Palais des Sports. L'accueil pourtant, y est pondéré. Une fois de plus c'est aux Etats-Unis qu'il est le mieux perçu. « Quand j'ai vu *Bad Blood* à Los Angeles, se souvient Dupond, j'avais l'impression que les filles volaient, ne touchaient pas le sol. Debout, le public hurlait ». Créé en 1984 par la compagnie d'Alvin Ailey, le ballet est salué alors comme un condensé de violence rituelle, dans la jungle urbaine, que sous-tend une guerre des sexes.

Vingt minutes de complaintes lancinantes, mêlées d'inclusions typiquement *new wave* d'une chanson de Peter Gabriel, de sonneries stridentes, de petites mélopées qui ont l'air de monter d'une brousse africaine, de sonorités grêles évoquant le folklore amérindien, tel est le support musical, pot-pourri très tonique signé de l'égérie new-yorkaise Laurie Anderson. Sur ce fond décoratif, la chorégraphie se détache pure et râpeuse. Son dépouillement est encore accentué par les collants blancs, juste un peu asymétriques pour les filles. Les crinières nouées en queues de cheval contrebalancent par leur sauvagerie ce presque académisme et les font ressembler à des cavales. Cette fois, Dove ne leur souffle pas de paroles de désespoir, il les jette contre le public, comme s'il lui en voulait.

L'atmosphère du balletest suggérée par une scénographie de Jorge Gallardo, qui utilise classiquement l'espace. Un univers clos, concentrationnaire, ceint d'un grillage noir. Et devant, symbole de toutes les solitudes, de toutes les rencontres, un banc, comme ceux que l'on voit le long des grilles des stades. Vers lui convergent les lignes de force du groupe. « Ces sept personnages, explique Dove, ont choisi de vivre en se séparant des autres. Ils sont unis jusqu'au sang, le bon sang qui, par une pudeur rhétorique, devient le mauvais sang ».

Ces évolutions d'un groupe marginal, même si cela est peu explicite dans la chorégraphie, ont été nourries dans l'imagination de Dove de prises de conscience graves ou de faits observés dans la vie courante, cueillis à la surface d'un écran de télévision ou dans le paysage urbain quotidien. L'extraordinaire et le banal, même mouture pour dégager le mal de vivre. Il se réfère par exemple aux morts de la place Tien An Men, ou aux scènes de la vie londonienne : une punk marche, sa crinière dressée comme une crête de coq, elle passe indifférente sous les projectiles que lui envoient des ménagères. De tout cela, rien d'anecdotique ne transparaît. C'est pourquoi, si véhément que soit le discours, il garde là encore une froideur, une distance qui transcende l'idée de spectacle. De l'agressivité à revendre, mais pas de racolage. Les protagonistes peuvent s'empoigner dans des poses parfaitement explicites, jamais un coup de hanche à l'égard du spectateur, mais les jambes ouvertes comme un coup de poing.

On assiste donc, en variations autour des mille et une façons de s'asseoir et de ce qu'elles révèlent, à toutes sortes d'ébats érotiques fortement acrobatiques, où l'amour a encore l'air d'une guerre. Les filles s'abattent en furie sur les garçons, ceux-ci les secouent, les propulsent en l'air et les font rebondir presque mécaniquement. Toutes ces manipulations intermédiaires entre le be-bop et l'enlèvement des sabines imposent un jeu de jambes d'une nervosité et d'une rapidité épuisantes. Pour créer ce délire dans l'apesanteur, les bras aussi doivent être élastiques.

Le groupe s'étire et se resserre en une géométrie variable qui va du couple au trio ou à l'affrontement de tous. Il s'épuise dans son bouillon de culture. Comme une succession de mots réunis sans grammaire, Dove y accumule les figures revendicatrices, les expressions farouches, les pirouettes bras dressés et poings serrés, ou au contraire cassés, repliés vers le bas, en signe de contraction. Bruit et fureur finissent par se résoudre dans une chute de tension, tandis qu'une voix suave égrène l'incommunicabilité des êtres en petites phrases anodines : « Je te cherchais, mais je ne pouvais pas te trouver ».

Un couple dressé se tend vers un hypothétique horizon, comme pour sortir de son ghetto. Sur le banc se dénouent les dernières étreintes, pièges toujours renouvelés. Commencé dans le silence par un magnifique solo d'homme s'éveillant à son corps, le ballet se résout dans le sommeil et l'attente. Tous ces jeunes insoumis, unis dans la violence ont soudain l'air d'enfants perdus, à la recherche d'un vieux paradis.

Vespers

Le plus académique de la manière du chorégraphe, le plus simple aussi : la transe qu'induit l'exaltation religieuse n'a besoin d'aucun support anecdotique pour être reçue. Si la violence de *Bad Blood* ou de *Faits et Gestes* paraît parfois gratuite, parce qu'on n'en perçoit pas forcément les motivations, mais seulement les retombées, *Vespers* s'impose tout seul. Sur le mode exacerbé que Dove n'arrive pas à éviter, c'est un regard sur le passé, un rappel des communautés baptistes de son enfance en Caroline du Sud, où les gens âgés, en plus de l'office dominical, se réservaient la veillée du mercredi pour se recueillir ensemble. Et pour une communauté noire, le recueillement peut difficilement se pratiquer dans le silence, sinon à quoi servirait d'être réunis. Commencée dans la méditation individuelle, l'union du fidèle avec la divinité s'exalte de l'union avec les autres fidèles, par le vecteur du chant ou de la danse.

En dédiant ce ballet à la mémoire de sa grand-mère, Dove laisse de côté ses humeurs revendicatrices et ses blessures pour ouvrir la porte à de vieilles images. Enfin un coin de ciel, même s'il n'a rien de bleu. Les vieilles gens qu'il a aimées dans son enfance l'ont fortifié de leur piété. Mais il va canaliser ces débordements mystiques pour qu'ils ne dévient pas vers une animalité trop ostentatoire sur une scène, et ne risquent pas de friser le voyeurisme du folklore d'exportation. D'abord, aux traditionnels *negro spirituals* gonflés d'une tendresse à fleur de peau, il substitue le fond africain des percussions de Mikel Rouse. Leur appel, s'il va du crépitement au martèlement, cherche à arracher les corps à la matière inerte, mais refuse la tentation d'une mélodie qui remuerait les cœurs. Les seuls cheminements du corps sont plus âpres que ceux des voix.

Pour les danseurs de Nancy, c'est une épreuve exaltante que cette plongée non seulement dans une technique, mais dans une mentalité si étrangère à la leur. Dire la fureur de vivre contemporaine, l'angoisse des cités tentaculaires, l'incommunicabilité des cœurs et des espoirs, ils le peuvent. Se glisser dans le noyau ancestral d'où partent ces manifestations d'un mysticisme exacerbé par l'esclavage est beaucoup plus difficile. Au point que ce type de transposition n'est que très rarement tenté : si le Ballet de Harlem a donné avec bonheur dans les grands classiques romantiques, où trouver une chorale européenne capable de scander des *gospels,* un danseur apte à ressentir les ressorts du mouvement qui anime les Noirs. Vers ce domaine de culture préservée, Dove, par son parcours multiple, a heureusement les moyens d'ouvrir des voies : techniquement, il s'en tient aux figures de base mises au point pour *Faits et Gestes*, et utilise plus la spirale et les rotations autour du genou de l'école américaine que le balancement avant-arrière si typiquement africain. Son écriture se déploie dans une série de formules juxtaposées plutôt qu'en enchaînements, ce qui est très exactement le principe de la percussion, laquelle évolue aussi en séquences. Il y a là une parfaite adéquation entre musique et mouvement qui enlève à celui-ci son caractère arbitraire.

Psychologiquement, l'interprétation soulève plus de problèmes : « entrer, comme il le souhaite, dans une intimité presque affectueuse avec le Saint-Esprit, seule des personnes de la Trinité qui visite ses fidèles et les console », demande plus que la ligne d'horizon d'un théâtre. Les danseurs sont priés de se recueillir sur scène avec autant d'intensité que s'ils étaient dans un lieu sacré. Peu à peu, grâce à l'énergie que Dove, s'imposant comme un bélier qui enfonce les portes, parvient à leur insuffler, le Saint-Esprit gagne du terrain. « Chacun de ceux parmi nous qui a dansé ce ballet, confiera Dupond, a éclaté en sanglots tant son émotion était forte ».

Dans la fièvre du travail, la contagion gagne toute la compagnie. Alors qu'initialement le ballet est conçu pour six danseuses, et appris par six autres, l'intérêt que prennent les garçons à venir observer les répétitions donne à Dove l'idée de le leur confier aussi. Encore un de ces jeux dont il raffole, vestige sans doute des rencontres aléatoires auxquelles il a participé chez Cunningham. La comparaison des interprétations sera surprenante, les énergies dispensées créant des chocs bien différents. Elles alternent un peu partout, dans les tournées avec une certaine préférence pour la version masculine, plus spectaculaire. Esthétiquement, les danseuses sont moins avantagées par leurs rustiques robes noires et leur strict petit chignon, qui épouse mal la frénésie de leurs évolutions. Mais dignité oblige : des crinières déployées, signe orgiaque, auraient été déplacées dans ce pudique contexte d'église. Techniquement, elles sont franchement brimées par le chausson à pointe, encore conservé par Dove, bien que le ballet ait été créé en demi-pointes chez Alvin Ailey : alors qu'il leur faut courir et encore courir, cet outil familier devient un gêneur, un frein dans leur élan, et un élément de fatigue supplémentaire. Leur danse angoisse par son caractère tendu. Cette même chorégraphie, qui n'a rien de spécifiquement féminin, prend un caractère plus animal du fait de la vigueur des garçons, de la largeur de leurs mouvements de torses, de la détente moins sèche de leurs sauts. Pour eux aussi, une tenue pleine de réserve : pantalon noir, chemise blanche, cravate, qui leur donnent des airs de « golden boys sortis d'un Wall Street de caricature » (La Voix du Nord).

Graphiquement, Vespers illustre bien le talent d'Ulysses Dove pour occuper l'espace. C'est chez Cunningham qu'il a appris « l'art de la chaise ». Il en déploie ici six de chaque côté d'un espace central. A droite, elles sont alignées comme un rang d'église, à gauche éparpillées, mobiles. Les danseurs évoluent d'une série à l'autre suivant qu'ils se détachent ou se rapprochent des autres. Au début, l'un d'eux est assis, dans une attitude recueillie. Son corps va progressivement s'éveiller, être parcouru de saccades, de décharges nerveuses, de contractions, comme si un appel l'envahissait. Avec les cinq autres qui le suivront bientôt, ce sera un chassé-croisé de cambrés extatiques, de poings brandis, de secousses, articulées autour d'un des trajets typiques de Dove : une course, une demi-chute, une demi-spirale, un demi-relevé, chaque figure se mélangeant avec les autres à un tel rythme que l'œil a du mal à les suivre. Dove parle de ferveur et d'enthousiasme dans sa communauté : dans Vespers, cependant, c'est plutôt une frénésie dure qu'il transmet, des prostrations, des bondissements brisés par des poses soudain hiératiques. Plus qu'à une action de grâces, c'est à une déploration que fait penser ce défoulement collectif, où s'exhalent désespoirs et remords.

Créé en 1986 pour le Dayton Contemporary Dance Company, Vespers est vite devenu une des pièces à sensation du répertoire d'Alvin Ailey. Aux Etats-Unis, tandis que les exploits acrobatiques des danseuses sont applaudies en cours d'exécution, les critiques croient y déceler un manifeste pour la libération de la femme, une relecture de La Maison de Bernalda Alba, de Federico Garcia Lorca, ou une séance d'exorcisme rituel. Si le public européen est parfois dérouté, malgré sa fascination, les Américains reconnaissent là un langage familier, qui prend pour eux valeur de métaphore.

White Silence

Comme William Forsythe, Ulysses Dove appartient à une nouvelle espèce, celle des « chorégraphes zappeurs ». Nourri de télévision autant que du spectacle de la vie, il appréhende le monde à coups d'éclairs de publicité, de raccourcis documentaires, de bouts de films captés d'une chaîne à l'autre : un pêle-mêle de sollicitations qui démode la vieille gymnastique analyse-synthèse et la remplace par un regard balayeur ultra-rapide, que l'illogisme des collages ne déroute pas. Tout brasser en même temps au lieu de choisir un thème et de le nourrir de ses expériences.

Dans *White Silence*, cette approche, de méthode, devient propos concerté : il s'agit d'évoquer, lorsqu'elles viennent d'être avalées par le téléviseur, les images qui se sont posées sur l'écran et dont les résonances tintent encore dans l'imagination. Moins désespéré, moins brutal que les précédents, dynamique plus qu'exalté, il s'offre une conclusion d'un lyrisme inhabituel chez le chorégraphe et emploie par moments un ton plus léger : les quatorze garçons et filles qui défilent d'un pas cadencé sur la musique délurée et frimeuse du groupe Art of Noise n'engendrent pas la mélancolie.

White Silence, pourtant, a marqué l'apogée de l'amoureux pugilat qui mêle Dove et les danseurs sur le ring nancéien. Après plusieurs mois de cohabitation dans une ambiance survoltée, tous ont les nerfs à vif. Quinze jours avant le spectacle du Palais des Sports où le ballet doit être présenté — Nancy a déjà vu *Bad Blood* et *Vespers* — Tracy Chapman, la célèbre chanteuse américaine, fait savoir qu'elle refuse l'utilisation de sa musique, sur laquelle Dove avait construit son ballet, lequel devait s'appeler *Urban Folk Tales*. Coup de tonnerre qui n'améliore pas l'humeur des combattants. En catastrophe, Dove va écumer les discothèques de Metz et de Nancy jusqu'à ce qu'il trouve une musique sur laquelle il puisse adapter les combinaisons de pas et l'idée du ballet. Avec *Art of Noise*, dont il déniche une bande ayant l'allure et la longueur souhaitées, la question des droits sera réglée aussitôt. Mais le temps presse pour recomposer le ballet et réaménager la scénographie, d'autant que le support musical suggère de nouvelles idées au chorégraphe. Certaines sont irréalisables, par exemple cet écran de télévision à placer à l'arrière de la scène, comme une sorte de gigantesque totem : l'administrateur, constatant qu'il faudrait pour ce faire ajouter cinquante-cinq millions de centimes au budget d'une aventure dispendieuse, refuse dans la douleur. Les éclairages n'en seront pas moins superbement équilibrés, Dove étant terriblement pointilleux dans ce domaine. Un grand jeu très clair, puis une pénombre tranchée par un faisceau central symbolisant l'écran, enfin des traces lumineuses verticales en réponse aux bandes blanches qui séparent la scène en registres parallèles et permettent grâce à des rayons perpendiculaires de produire un effet de damiers.

Douze chaises, six blanches et six noires, simplement alignées de front, font face au spectateur. Relais entre la terre et la verticale, le siège est décidément l'accessoire favori de Dove. Les danseurs sont à égalité, garçons et filles, dans des costumes un peu moins austères que ceux auxquels il les a habitués : collants de base, mais agrémentés de boutons, de cols, d'effets de gilets, de caracos en mousseline acidulée comme la musique d'*Art of Noise*. Si Dove pratique la synthèse des techniques et le collage d'images, ce groupe, lui, donne carrément dans le pot-pourri. De la machine à synthétiser ressortent, comme dans un hall de gare, des bruits de pas, des lambeaux de conversations, des sifflements, des tintements de clochettes, tandis que les personnages s'agitent dans le désordre, chacun sur son rythme intérieur. Ils se rangent, ou sortent, avec une fausse décontraction de marionnettes manipulées par la musique.

Différentes séquences se détachent alors, qui ont chacune la couleur d'un spectacle imaginaire : d'aguicheuse, la musique se fait répétitive à l'orientale, avec des relents de souk et une bouffée hispanisante, style Asturias, d'Albeniz. Puis les bandes du sol tournent au mauve, le son aussi, avec piano glamour et ambiance hollywoodienne. Frénésie ensuite, hurlements d'Indiens sur lesquels se développe un solo féminin qui n'est pas sans évoquer la danse du scalp. Des couples, ou des solistes se croisent, incarnent l'image ou la commentent, en variations d'autant plus expressives qu'elles sont resserrées par le champ visuel. La rousse Alexandra Wells notamment, y pratique admirablement cette gestique du sur place, comme une roue qui tournerait sans jamais avancer.

Même si tous les fantasmes du chorégraphe ne sont pas perçus, l'ensemble a de l'allure, des qualités plastiques, et une séduction moins sombre que les trois autres ballets. Il n'en va pas de même du final, bouleversant dans sa simplicité : tandis qu'une voix clame une longue et rauque mélopée à l'égard de quelque manitou, tout se centre sur l'image de Valentina Spadoni, cette petite danseuse sortie tout droit d'un conte d'Andersen : figée au milieu de la scène, sa silhouette d'enfant juste moulée dans un collant chair, image de nudité abusée, elle agrippe et fait tournoyer sa masse de cheveux avec les gestes de toutes les déplorations du monde. Elle lève une jambe en grand écart, puis l'autre et s'immobilise, murée dans sa douleur.
Cette vision a été suggérée à Dove par une photo parue dans

Times, où l'on voit une petite fille brûlée au napalm courir devant des soldats américains qui tentent de la rattraper pour la soigner. Il a su transposer la scène avec une éloquence dépouillée. Tandis que l'enfant ondule d'un pied sur l'autre, comme égarée, un personnage masculin, jailli d'un rêve qui pourrait s'appeler espoir, s'avance derrière elle et l'entoure de sa présence. Il déploie ses bras dans l'espace, se tend vers l'arrière, grave et pur comme une colombe de paix, et du dessin de ses gestes naît une magnifique gerbe de lumières blanches, qui se déploie sur le rang des danseurs serrés sur leurs chaises. Puis, il se penche à nouveau vers la danseuse, et la berce doucement. Le ballet se termine sur ce balancement sans fin, comme une prière inlassablement répétée.

Pour Dupond, passionné par les causes humanitaires, ce passage est un instant grave. Pour Dove, qui dépose les armes, et se laisse aller, par le lyrisme du geste déployé dans la lenteur, jusqu'à la souffrance acceptée, c'est un peu d'air pur dans l'œuvre de ce personnage à la fois athlétique et fragile, rebelle et tendre, pathétique en ses contrastes.

Thierry Malandain

*Etre à l'écoute de nos mémoires, s'en
nourrir pour appréhender d'autres
rivages, rêver à de nouvelles
géographies, voguer et encore
voguer pour s'apercevoir qu'un
drapeau est déjà planté ; choisir alors
un nouveau cap Espérance et là être
ému d'avoir trouvé le coin de ciel qui
nous manquait.
Je suis ce navigateur, voyageur qui
aime ouvrir aux autres ses carnets de
route, qu'en dire de plus... la mer fait
danser les marins.*
Thierry Malandain

On l'a dit le chorégraphe le plus primé de France : de 1984 à 1990, il se bat sur tous les fronts pour accéder à l'exercice du dur métier qu'il s'est choisi. Et les récompenses pleuvent, qui obligent les observateurs de la Danse à compter avec lui : Prix Volinine en 1984, Prix de Nyon en 1984 et 1985, Prix Serge Lifar en 1985, Lauréat de la Fondation de la Vocation en 1986, puis de la Fondation de France, Prix de la Baule et de Vaison-La-Romaine. Pas par soif de lauriers. Pour tous les créateurs, la reconnaissance du public est bien plus précieuse que celle des jurys. Simplement pour se donner les moyens de subsister. A ses premiers pas sur les chemins de liberté, la poignée de gens qui l'accompagnent doivent se contenter d'un salaire de misère, la moitié souvent de ce que gagne un danseur nancéien. Et la subvention qui lui est alors accordée par le Conseil Général des Yvelines, lorsqu'il s'installe à Elancourt — cinq cents francs — montre à quel point il est plus facile de séduire les gardiens des institutions en les bousculant qu'en se faisant l'héritier d'un patrimoine riche à exploiter pour l'imaginaire contemporain.

Toute la rapide carrière de Malandain, à l'image de sa personnalité, court entre deux pôles de sagesse et de révolte, qui se nourrissent mutuellement et lui font un profil attachant, bien plus volontaire que sa gentillesse d'abord ne le laisserait supposer. L'existence du groupe humain lié par son intermédiaire aux aléas de la création est précaire, certes, il lui faut donc éviter tout risque de compromettre une parcelle de chance. Chacun est à son poste, avec un perfectionnisme méticuleux : bateau fraîchement repeint, matelots prêts, horaires scrupuleux. Il faut ensuite trouver la bonne route, mais aucune sotte bavure matérielle n'aura entravé le départ du petit navire.

Sa chanson de gestes est écrite depuis l'enfance. Commençant la danse à neuf ans, il reçoit à Rambouillet l'enseignement de Jaque Chaurand, créateur du Concours de Bagnolet, puis à Paris de Daniel Franck et de Raymond Franchetti, le célèbre professeur qui a imposé sa marque à l'Opéra de Paris. Réservé, mais passionné, le jeune homme se révèle bon danseur et, chose étrange chez ce faux timide, tout à fait apte aux concours. Celui de Lausanne, alors qu'il a dix-huit ans, le fait remarquer par Violette Verdy, Directrice de la Danse à l'Opéra de Paris, qui l'y fait rentrer comme surnuméraire : quatre mois passés dans l'attente, à jouer les arrière-plans, avant de s'envoler vers le Ballet du Rhin, où l'engage Jean Sarelli. Cette compagnie, qui

a un peu le même type de répertoire néo-classique que Nancy, le retient deux ans, au terme desquels il rejoint la troupe lorraine. Deux expériences, étalées sur huit années, qui, dira-t-il plus tard, « lui apprendront tout ce qu'il sait, même si ce n'était pas toujours dans l'harmonie ». Danser du Kylian, du Butler, du Van Manen, du Neumeier, du Balanchine ou du Fokine, voilà le socle incomparable sur lequel il construira son propre style.

Pourtant, à l'époque, il étouffe, dévoré par un désir de se manifester, sans trop savoir dans quel sens. « J'ai préparé des concours et je trouvais qu'on ne me laissait pas les passer dans de bonnes conditions. Je dirigeais les animations scolaires au sein de la Compagnie, mais cela ne me suffisait pas. J'avais des prises de position intempestives puisqu'étant simple danseur. Je dessinais des maquettes de costumes et de décors. Je me permettais de donner des avis. La situation s'est donc de plus en plus tendue avec Jean-Albert Cartier et Hélène Traïline. C'était logique. Quatre ans plus tard, une fois placé de l'autre côté de la barrière, je juge mieux quelles responsabilités étaient les leurs, et je comprend que mes interventions n'étaient pas de bon aloi. »

En 1986, lorsqu'après plusieurs essais chorégraphiques, il découvre qu'il veut s'y consacrer totalement, il décroche le canot de sauvetage et débauche quelques camarades du Ballet de Nancy pour la grande aventure : Angelito Lozzano, Oswald Roose, Richard Coudray, Yves Kordian ont beaucoup de courage en quittant ainsi la sécurité et la classe d'un répertoire prestigieux. Commence alors la dure et exaltante période des privations fructueuses : « Temps Présent », s'est choisi pour nom la compagnie, qui compte une douzaine de participants. Temps de galère, temps de misère, mais temps de bonheur grâce à la puissante solidarité qui soude le petit groupe, acharné à émerger

main dans la main. Ils ont choisi l'insécurité, non la bohème, et grimpent méthodiquement les échelons de la reconnaissance par l'opinion. Chaque danseur accomplit une autre fonction, qui à la comptabilité, qui aux décors, aux costumes et aux éclairages, qui aux relations publiques. Quant au directeur, tout ce qu'il gagne à l'extérieur est ramené au nid et réinvesti dans l'entreprise. Certains de ses choix artistiques ne sont alors que la conséquence déguisée du manque de moyens : on vantera la fluidité de ses danseuses sur demi-pointes, mais c'est le prix prohibitif des chaussons qui les prive ainsi de leurs ailes, d'autant, précise le directeur avec orgueil, « qu'elles ont toutes de superbes cou-de-pieds, ce qui signifie la mort d'une paire de chaussons par soirée... ». Le succès, sinon l'aisance, va leur venir rapidement, avec quelques ballets d'inspiration très diversifiée, qui vont faire la réputation du chorégraphe : *Folksongs,* qui témoigne déjà de son attachement pour Benjamin Britten, *Sonatine,* huis-clos étouffant entre un homme et quatre femmes qui s'entredévorent, le très romantique *Elégie, pas-de-deux* sur la musique de Fauré, et l'une des œuvres les plus porteuses pour la Compagnie, *Danses Qu'on Croise* sur les *Danses Hongroises* de Brahms. D'une main légère, il y fait affleurer toutes ces bouffées amoureuses dont l'air d'une salle de bal est rempli, et qui retombent en nuages une fois les rencontres dénouées. D'un style plus théâtral, l'évocation consacrée à Edgar Allan Poe, qui mêle Debussy et André Caplet, et un *Tristan et Yseut* conçu pour le centenaire de Jean Cocteau : sur la légende de l'amour fatal, il greffe le mythe de l'Eternel Retour, en superposant un couple moderne au couple médiéval, avec un brassage de musique ancienne et de jazz. Ce type de dédoublement est toujours très porteur scéniquement, et Béjart en a lui-même abondamment usé, notamment dans *Noces.*

Les critiques vont souvent le comparer à Jiri Kylian, pour son mélange de lyrisme, de légèreté, et de causticité tempérée. Une très belle organisation de l'espace scénique, atteste qu'il a été à bonne école, et sa passion pour la musique demeure un des supports les plus véhéments de son travail. Son monde, en fait, se déploie dans un faisceau culturel auquel puise également un John Neumeier. Les thèmes du maître de Hambourg, avec lequel il partage un don pour exprimer le non-dit dans les rapports humains, pourraient être les siens ; Peer Gynt et Artus, tout comme Poe et Tristan. Tous subliment l'effort de l'homme pour échapper à sa prison. « Pour moi, finalement, l'essentiel de ma démarche créatrice est la fuite, l'ailleurs ».

L'air paisible et courtois, Thierry Malandain est sûrement un vrai romantique, brûlé de la soif d'un absolu un peu noir, qui le projette facilement vers l'univers de la folie : c'est l'enfermement cruel de *Sonatine,* où les quatre femelles tuent l'unique mâle à coups d'aiguilles à tricoter, puis les délires d'Edgar Poe et de Rimbaud, et un essai fait autour de Giselle, où le personnage principal, en chemise de nuit ornée d'ailes de papier, rappelle la figure de la grande Olga Spessivtseva, étoile des Ballets Russes, qui sombra dans le même abîme que son camarade Nijinki.

Un romantique qui projette dans la danse toutes les pulsions que son caractère introverti réfrène dans le quotidien, et doublement révolté parce qu'on lui reproche de ne l'être pas assez : « Le problème du langage, qui obsède mes contemporains, me concerne aussi parce qu'une évolution est normale. Mais ce qui m'intéresse bien plus, c'est l'idée de partage, que mes ballets soient une rencontre avec le public. Béjart a réussi cela magnifiquement et c'est un emprunt que j'aimerais bien lui faire.

Je n'ai pas de recherche spécifique sur la gestuelle, ce qui est à la mode, et je n'écrirai pas un livre sur ma façon de faire bouger mes danseurs. Le canevas des figures classiques, enrichi d'enchaînements et de gestes qui viennent par l'improvisation ou la référence culturelle, me convient parfaitement. Les officiels chargés de dicter une conduite m'ont fait observer que « mes ballets plaisaient beaucoup au public, mais que je ne faisais pas avancer la danse. « A trente ans ! » Finalement il obtient du Ministère des Affaires Culturelles une subvention de cent cinquante mille francs.

En dépit des apparences, conserver une ligne traditionnelle en l'adaptant au paysage contemporain se révèle donc plus difficile qu'on ne le croirait : « A la tête d'une structure comme le Ballet du Nord, du Rhin ou de Nancy, j'y serais habilité, mais en tant que mini-groupe, je fais figure de vilain petit canard ! ».

La démarche, heureusement, n'est pas de celles qui peuvent gêner Patrick Dupond, lui aussi bien ancré dans la pérennité des traditions. En invitant l'ex-rebelle à créer un ballet pour son ancienne famille de scène, il retrouve aussi le camarade du lycée Racine, son presque jumeau, compagnon d'armes du baccalauréat, qu'il fascinait déjà. Pour Thierry Malandain, cette admiration presque paralysante est demeurée intacte, malgré la maturité. Il ne lui sera pas facile de l'apprivoiser. Devant le monstre de vitalité qu'est Dupond, l'exubérance de sa virtuosité, de surcroît soumis à un régime d'urgence puisqu'il n'a que quinze jours pour monter son ballet, il refait une sorte de crise de timidité. « C'est une souffrance pour moi de n'arriver à connaître les danseurs qu'au moment de partir, moi qui aime tant faire s'interpénétrer leur travail et leur personnalité. Devoir bouger moi-même, alors que je ne suis plus danseur, devant des regards étrangers, me met toujours un peu mal à l'aise, surtout le regard d'un phénomène tel que Dupond ». A la fois intimidé par l'image de celui-ci et par les œuvres qu'il a inspirées à Neumeier et Béjart, il se sent parfois devenir spectateur, confondu par la façon qu'a l'étoile d'investir les gestes. « Pourtant il m'a laissé libre, et n'a jamais joué un personnage de star. Il était idéalement disponible. Mais que pouvais-je apporter de plus à cet édifice pour le valoriser ? J'ai donc décidé de jouer la carte de la présence, du magnétisme, et non celle de la technique ».

Le résultat obtenu dans les *Illuminations* porte la marque de cette tension, qui lui est bénéfique étant donné le propos grave, douloureux du ballet. Et comment ne pas lire dans le choix du sujet, même si le chorégraphe n'en a pas vraiment conscience, un rappel de l'état d'asphyxie et de rébellion qu'il a connu sur ces lieux mêmes avant de briser ses chaînes. Avant de travailler sur la partition de Britten, écrite pour son ami, le ténor Peter Pears, créateur aussi d'Albert Herring et de Peter Grimes, Malandain a déjà utilisé sa musique pour *Folksongs* et *Metamorphosis.* Il aime le lyrisme acidulé du compositeur et apprécie en lui une attitude d'esprit comparable à la sienne : ne pas faire table rase du passé sous prétexte de vouloir s'intégrer au présent, trouver son propre chemin sans prétendre à les bousculer tous. Mais la partition de Britten pour les *Illuminations* n'a peut-être pas la violence échevelée qui correspondrait aux visions délirantes de Rimbaud. C'est sans doute là que le ballet perd un peu de sa force.

En toile de fond, un panneau de tissu décoré d'une rose rouge : de ce symbole brûlant, les autres se serviront pour ligoter un peu plus l'adolescent, avant qu'il ne grimpe à cette fenêtre d'où l'espoir s'est envolé, pour se suspendre dans le vide. Sans déploiement de virtuosité, la chorégraphie oblige le soliste à une intensité fiévreuse de gestes, tandis qu'autour de lui se déploient comme dans un cauchemar les images contraignantes auxquelles il tente d'échapper : les esprits de la famille, la mère, que joue Nancy Raffa, la fiancée incarnée par Isabelle Bourgeais.

Quelques tableaux étreignent par leur intensité : la lutte entre le héros et sa mère, la ronde sardonique qui court en arrière-plan de son délire, sa danse d'autodestruction, haletante et provocatrice, avant qu'il ne soit happé, récupéré par la haute chaise à laquelle l'ordre social et familial tente de le river. Puis, et c'est le moment d'une magnifique rencontre entre la chorégraphie et la musique, le groupe se resserre, l'adolescent, monté sur la chaise, plane au-dessus, déployant ses bras dans un geste d'envol et d'apaisement, ses gestes épousent la courbe ondulante de la mélodie, que Britten développe avec des accents aussi lyriques que ceux du Puccini de *Madame Butterfly.* Tout se suspend et se résout ensuite dans le silence.

Tout au long du ballet, les groupes investissent superbement l'espace, avec une rigueur géométrique qui devient symbole d'oppression, le déroulement du sujet est bien charpenté. Malandain aime cadrer ses tableaux entre un début et une fin, dont il a une conscience claire en commençant son ballet. Tandis que les chorégraphes plus modernes isolent des moments et des formes sur des trajectoires mal définies, attentifs qu'ils sont à la seule exposition du geste, lui donne une direction, met une flèche au bout de la ligne. Plus qu'en survivances de figures académiques, c'est en cela que dans sa structure la plus profonde, son travail demeure celui d'un classique.

Ces *Illuminations,* saluées par Gérard Mannoni dans le *Quotidien de Paris* pour « leur belle rigueur et leur maîtrise incontestable, images marquantes dans un décor aux lignes pures », sont un ballet grave, déchirant, venu au chorégraphe tout d'un bloc, comme « l'expiration » dont parlait Cocteau, plutôt qu'en une hypothétique inspiration, dont cet inquiet au sourire malicieux tremble constamment qu'elle ne revienne pas. Qu'y aurait-il de plus triste que le seul métier ? Mais les idées, heureusement, continuent

de l'envahir, glanées à toutes les sollicitations de la vie.

Les commandes aussi se pressent, preuve que l'on compte non seulement avec lui, mais sur lui. Et il continue d'alterner drame et humour. Pour le Ballet des Flandres, à Anvers, c'est *Petite Lune,* tableau surréaliste mêlant des mannequins en pâte à mâcher et des enfants ailés dans une vague atmosphère de fête juive, avec cette tonalité de folklore distancié dont il aime jouer. La fantaisie onirique prend ici appui sur le *Huitième Quatuor* de Chostakovitch, inspiré par les bombardements de Dresde. Au Ballet de Wallonie, à Charleroi, il donne aussi un ballet un peu fou, d'un humour léger : sur la version piano de *Chopiniana,* il propose un stage d'initiation à d'apprenties Sylphides, entourées elles-mêmes de Sylphides géantes ! Encore des ailes, cet emblème magique qu'il redoute tellement de perdre, si le succès auquel il aspire venait à les lui rogner de façon insidieuse, en le récupérant dans un système qu'il a voulu aérer. Poète caressant sa chimère, Thierry Malandain doit, plus que beaucoup d'autres, se méfier de son image rassurante pour continuer à danser sur le fil qu'il essaie de tendre entre deux mondes.

Pierre Darde

Parler du monde derrière le monde
Pierre Darde

C'est Peter Pan, Pinocchio, Puck, Ariel : tout ce que le répertoire elfique a pu injecter à la scène de personnages malicieux et aériens, gracieux et pointus. Enfermé par erreur dans la prison dorée du Palais Garnier — il aurait pu tout aussi bien être peintre ou musicien —, Pierre Darde est un lutin suspendu au lustre, qui contemple ce palais de velours et de miroirs où le narcissisme de chacun ricoche à l'envie sur son vis-à-vis. Et s'en trouve bien, le surréalisme de l'endroit convenant à sa nature ludique. Il préfère la multiplicité des formes à un engagement extérieur qui le limiterait. Avec ce caractère rieur, dénué de tout esprit de compétitivité, il a réussi à vivre en bonne intelligence avec Noureev, qui apprécie ses premières chorégraphies, *Clair Obscur* et *Arrastre* et lui propose en 1988 de travailler avec Bob Wilson pour le *Martyre de Saint-Sébastien*, de Debussy-D'Annunzio. La proposition est flatteuse pour le jeune homme de vingt-six ans. Finalement, il n'en signera pas la chorégraphie, mais le contact avec le metteur en scène vedette, au titre d'assistant, lui apprend, comme à Dupond, à analyser l'espace et à travailler les densités d'attitude dans l'immobilité. En tant qu'interprète, le vrai martyr, c'est lui, ligoté à un poteau sans esquisser un geste pendant quarante-cinq minutes, dans le rôle de l'un des jumeaux Marc et Marcellus.

Tout est aigu chez Darde, le regard, le sourire, l'arête du nez, la pointe du menton, la silhouette d'adolescent, l'éclat du rire qui fuse un peu narquois, et le jugement porté sur lui-même et sa sphère d'artifices, pour ne pas se laisser déborder. Il appartient à la nouvelle génération d'artistes travaillés par le démon de la création, et qui préfèrent laisser les systèmes et se nourrir un peu plus à l'école de la vie pour mieux gérer les trouvailles des aînés. Mais son univers a une couleur bien personnelle, et ses évidences, si elles séduisent par leur étrangeté, peuvent aussi irriter. Pierre Darde, sans manifester une once de prétention, ne relève pas du monde des émotions lourdes, des débordements passionnels, des revendications sociales ou philosophiques ; le lutin a la tête dans les étoiles, les vraies, et s'intéresse depuis toujours à l'astronomie et à la science des nombres, rêvant plus sur les mystères du cosmos que sur les méandres de l'âme humaine. Ce qui lui vaut évidemment quelques déconvenues : présenté le 20 mai 1990, parmi des essais chorégraphiques de jeunes talents poussés à l'Opéra, sur le grand plateau, son ballet *Eco*, sur la partition de Donatoni, agace par ce qu'on appelle à tort de la prétention chez lui, un mot auquel il réagit comme un diablotin aspergé d'eau bénite. Il y a tenté une approche « des changements d'état de la matière, passant du latent à l'explosion, du solide au liquide ». Une rêverie sur les énergies dont l'humain est

traversé, en prenant subtilement appui sur la structure mobile du corps de ballet classique, qui évolue sur lui-même. Pour sincère qu'il soit, pareil propos peut être difficilement abouti chez un jeune homme qui a jusque-là consacré plus de temps à sa petite batterie qu'aux émois créatifs. Et puis, le cadre triomphal de l'Opéra incite peu le spectateur à développer sa curiosité, mais plutôt à savourer des aboutissements.

Il n'en a pas été toujours ainsi dans ses chorégraphies. Elles portent au début la marque du contexte chargé dans lequel il a grandi. Entré à l'Ecole de l'Opéra à onze ans, il y fait son chemin doucement, devenant sujet à vingt-et-un ans, en 1983. Il s'est familiarisé avec tous les styles, de Béjart à Mac Millan, de Maguy Marin à John Neumeier, de Rudolf Noureev à Pierre Lacotte. Mais les trois modes d'expression qui font ses délices sont Balanchine pour sa limpidité et sa musicalité d'écriture, Dominique Bagouet pour son abstraction lyrique, et Merce Cunningham, pour sa disponibilité dynamique. Un coup de foudre absolu qui le met face à sa vraie nature d'interprète et de chorégraphe. « J'ai horreur de la violence acrobatique, cette nouvelle voie du classicisme qui lui donne un caractère spectaculaire très à la mode. Chez Cunningham, pour le danseur, il n'y a rien à démontrer, seulement à vivre les choses. L'émotion naît toute seule et je n'ai pas à y chercher de support. Quand une chose est possible à faire, il la fait. C'est une position de curiosité, d'humilité par rapport à la vie. Dans ses ballets, je lis quelquefois des paysages, je perçois un enseignement de la nature. Il a réinventé un code de l'espace et du temps. Que trouver de plus après lui ? »

Ses premières chorégraphies, cependant, ne sont pas imprégnées de cette révélation, devenue fulgurante quand il dansera *Points in Space*, à l'Opéra. Elles sont empreintes de

théâtralité, de relents « sado-masochistes », dit-il en riant. Elles puisent à des sources primitives, comme le folklore hongrois, dans *Clair-Obscur*, sur une musique de Bartok. Cette œuvre le révèle et lui vaut le prix Carpeaux. *Arrastre*, créé en 1986 sur un Fandango du Padre Soler, s'inspire du monde rouge et or de la corrida. Encore très opératique, cette œuvre étonne malgré tout les observateurs : « Parade sentimentale aussi belle que mortelle, langage feutré, original. Maîtrise extrême de la construction, à laquelle s'ajoute chez le chorégraphe-danseur une sorte de fureur contenue qui réjouit », écrit Brigitte Paulino-Neto. Suit *Decadémie* en hommage à Alexandre Tansmann qui vient de mourir, chorégraphié en 1987 pour le Ballet de Nantes. Avec *Amour*, créé la même année à l'Opéra de Nantes sur une partition de Prokofieff, son univers poétique commence à se décanter, à oser aborder ces grilles de correspondances entre les sons et les couleurs qu'il a commencé de déceler dans un spectacle autrefois réalisé par Kandinsky sur les *Tableaux d'une exposition* de Moussorgsky, et présenté à la Biennale de Lyon. Il poursuit le même type de recherche dans *1, 2, 3*, pour le Jeune Ballet de France : « Combinaison de trois énergies différentes et associées à des personnages, danseuse, cosmonaute, footballeur, ainsi qu'à trois figures géométriques simples, cercle, triangle, carré ». Toujours le même souci de toucher aux nombres derrière les formes, heureusement dans un style ludique qui exprime bien la légèreté du personnage.

Il parvient ainsi à ne pas trop déshumaniser les danseurs. Il ne s'agit pas pour lui d'en faire les éléments d'un jeu purement visuel comme Alwin Nikolaïs, un kaléidoscope d'anatomies qui pourraient n'être que des mannequins à ressort. Mais plutôt, comme Dominique Bagouet, de « cerner des sensations à l'intérieur du corps ».

Finalement, si la danse classique a tendu pour survivre vers un regroupement de références culturelles et historiques chez Béjart, ou aboutit avec Forsythe à une décharge d'agressivité gratuite, le combat contemporain tel que s'y inscrit Pierre Darde, se détend dans le respect des droits du corps, dans une réserve laissée aux mouvements pour ne pas étouffer leur sensibilité.

Le jeune chorégraphe est peu sensible aux modes. Il emploie même une expression presque originale, « l'esprit français ». Il semble tenir à ce concept délaissé. En suivant d'un peu près son évolution, on s'aperçoit qu'en fait il est en train de mêler en une synthèse originale l'esprit aristocratique qui faisait jusqu'au dix-neuvième siècle rejeter toute jambe levée un peu trop haut comme une injure au bon goût et à l'harmonie, et des éléments du grand balayage opéré par Cunningham sur les codes émotionnels des gestes du ballet.

La redécouverte, depuis une vingtaine d'années, des principes de la danse baroque qu'il a lui-même travaillée pour un solo présenté au concours de l'Opéra, compte pour beaucoup dans cet effort vers une précision toute musicale du mouvement. Dans une gamme sportivement très limitée par l'encombrement et le poids des costumes, le danseur de l'époque a dû jouer d'une imagination raffinée pour mettre en valeur les parties mobiles de sa personne, sans compromettre la majesté de son équipement.

Aujourd'hui sortie de sa gangue, reprise par des interprètes au corps entièrement lisible, la technique baroque révèle mieux son ingénieux système de propulsion au niveau des pieds, qui relâchent leur tension dès qu'ils effleurent le sol, en un rebond incessant que suscitent les entrelacs de la musique de l'époque. Le coulé plus simple de la mélodie romantique rendra caduque cette volubilité, tout comme le chant verdien tuera les ornements du bel canto.

Les premiers jours de leur collaboration avec Pierre Darde, en janvier 1989, les sept danseurs qu'il a choisis dans le Ballet de Nancy (Thomas Klein apprenant le même rôle que Dupond) ont un peu de mal à s'adapter à cette écriture d'apparence détachée, si en deçà des chocs émotionnels auxquels Ulysses Dove les a contraints. Sortant d'un régime aussi substantiel, ce Pierrot tombé de la lune, qui s'amuse à broder des variations sur le thème de la gravitation universelle, leur paraît sans doute un peu diététique. Le contact avec un garçon qui pratique comme des vertus cardinales l'art de la pointe, l'esprit de finesse et de géométrie, n'a pas fini de les dérouter. D'autant que celui-ci n'a que quinze après-midi pour se faire comprendre, tandis que le matin, ils sont soumis au régime Malandain. Intégrer en même temps deux styles aussi différents ne leur facilite guère la tâche, pas plus qu'au chorégraphe. Les choses piétinent donc un peu.

Survient Patrick Dupond, après quelques jours de répétition sans lui. « Ce fut étonnant, raconte Pierre Darde. En un moment, il a compris ce que je souhaitais, et son enthousiasme a électrisé les danseurs ». Comme d'un coup de baguette, la création prend vie, les poissons sont prêts à onduler. L'idée qu'a eue le chorégraphe lui ressemble trait pour trait : pas d'anecdote, juste le léger support figuratif d'un aquarium où évoluent sept poissons. La vision lui en vient souvent, lorsque se promène parmi la galerie d'invités d'une réception, il les regarde glisser de droite à gauche sous leurs brillantes écailles d'apparat. Par ce rappel animal, il évite la dureté de l'abstraction. « J'ai voulu, dit-il, faire quelque chose d'anodin et de non-violent. Quelque chose de léger et d'agréable, à partir d'idées purement dansantes, qui soit très écrit et très formel. » Il décide donc, en les incarnant dans des corps qui doivent paraître en apesanteur, de suggérer simplement des changements de rythme et de propulsion en rapport avec la musique la plus transparente qui ait été écrite en France depuis Couperin, celle de Ravel. Il choisit la *Sonate pour piano et violon*, qui n'a l'air de rien, bien que le compositeur l'ait mûrie pendant cinq ans. A son sujet, Marcel Marnat, exégète de Ravel, parle « d'une forme aussi dénuée de sens que le mouvement perpétuel, obsession depuis toujours des physiciens et des compositeurs ». Le musicien et le chorégraphe appartiennent donc bien à la même famille. Notamment par l'injection que fait Ravel dans sa sonate d'un blues qui agace les dents, traité de façon à le transformer en un produit français. Un peu comme Darde insère Cunningham dans sa formation classique.

Le déroulement de *Rouges Poissons* ressemble au balancement d'un mobile : un œil rouge qui chaloupe au fond de la scène, des lanières flottant sur les côtés du bocal que ferme, face au public, un panneau de plexiglas. Tout ce décor, conçu par la jeune artiste Zelia van del Bulcke, est d'une savante asymétrie, animée par la violence des costumes en velours frappé et mousseline qui habillent les poissons. Pas de jeux de coulisses : enfermés dans cet espace clos, les danseurs ondulent, à la limite du déséquilibre et multiplient les mini-trajectoires, à petits coups de talons rebondissants, inspirés de la technique baroque. L'utilisation des gants, l'une des habitudes de Darde, qui en a également mis dans *Arrastre* et *Clair Obscur*, accentue le graphisme des gestes. Une sorte de syncope visuelle s'établit en contrepoint des éléments décoratifs, qui témoignent des références picturales du chorégraphe.

Pour le blues, il a imaginé un petit duo néo-balanchinien, que dansent Patrick Dupond et Isabelle Bourgeais avec quelques clins d'œil hollywoodiens dans les portés, tandis que les poissons-voiles viennent poser des baisers sur les parois de l'aquarium. Dans le dernier mouvement, tous sont pris d'un frétillement qui se traduit en petites secousses sèches des épaules, en détentes rapides. Ils s'arrêtent brusquement, sans raison apparente, comme la musique : simple changement d'état. « Leur corps, leur a dit Darde, doit être aussi disponible que la main d'un pianiste ».

Il est exceptionnel que du sérail de l'Opéra de Paris — lequel attend encore son grand chorégraphe « maison » — jaillisse un esprit aussi libre que celui-là, qui n'éprouve même pas le besoin de se séparer de la branche maîtresse. Son amie Olivia Grandville, la belle interprète d'*Arrastre*, s'en est allée chez Dominique Bagouet. Lui préfère gérer son héritage sur place. Il est dans sa nature d'admettre, sans rien de réducteur, la coexistence pacifique des champs d'investigations, et de retenir la leçon qui convient à son humeur, affûtant ses armes pour demain, puisque l'avenir a pour lui la forme de la création chorégraphique. Lorsque l'heure de l'indépendance aura sonné, il se voit volontiers à la tête d'une compagnie néo-classique. A la pointe de l'évolution des mentalités, son paradoxe sera d'essayer d'allier un esprit œcuménique à des obsessions de rigueur à la façon d'un Glenn Gould, pour lequel il a une immense admiration. Comme le pianiste, dont il utilise une œuvre dans l'un de ses ballets, il rêve en secret de l'œuvre pure, c'est-à-dire débarrassée des scories de la scène et du trouble qu'elle engendre chez le spectateur et chez l'interprète. Et comme Gould, il séduit et déroute par un invraisemblable mélange d'humilité et de démesure.

Daniel Larrieu

*Rester simple et ne jamais oublier la
vie par rapport à la performance*
Daniel Larrieu

Fantasque, inespérée, cette
courte confrontation de
deux artistes que tout
prédispose à s'opposer,
Patrick Dupond et Daniel Larrieu,
sur toile de fond politico-
médiatique de la grande fête
strasbourgeoise organisée à
l'occasion de la réunion du
Conseil des Douze, en décembre
1989. Si Dupond aime ces
célébrations où il se sent intégré à
son époque, Larrieu, sorti de sa
réserve habituelle contemple le
bruyant de l'événement comme
un mirage surréaliste, en Nils
Holgersson posé sur son oie,
sans dévier de sa trajectoire. Mais
entre le grand fauve bondissant
de savane en savane et le
créateur poète, discret comme un
souffle, concentré comme un
olivier, c'est une vraie rencontre
qui se joue, et pour le ballet une
aventure artistique riche
d'enseignements.

Le danseur et le chorégraphe, qui jusqu'alors, ne se connaissaient pas, découvrent qu'ils ont un point commun essentiel : aucun des deux ne peut s'arrêter dans sa course. Chez le premier elle est multiple, brillante, et témoigne d'un besoin de plaire, mais aussi d'être reçu et aimé, chez le second elle prend la forme plus discrète du voyage intérieur, et doit être constamment cristallisée sur un travail, comme le bon artisan qu'il souhaite être, pour ne pas risquer de se perdre loin du fragile sillon qu'il s'est tracé. Dupond lance la balle toujours plus loin, Larrieu la ramasse et l'épluche, mais s'arrête avant d'y trouver du vide.

Deux ans de plus que Dupond et lui aussi une histoire bien remplie : elle n'a jamais frôlé l'académisme et s'inscrit toujours sur le canevas de la sensibilité contemporaine.

Un passage rapide dans la Compagnie du Four Solaire, puis chez Régine Chopinot le révèle formidable danseur, mais très vite sa démarche s'autonomise. En 1982, le concours de chorégraphie de Bagnolet, créé en 1968 par Jaque Chaurand pour aider les figures de l'avenir à émerger attire l'attention sur ses *Chiquenaudes*, et sa propre compagnie, Astrakan, prend naissance sous forme d'un petit groupe d'expérimentation à géométrie variable, qui obtient d'emblée une aide des Affaires Culturelles. Le nom étrange choisi pour la troupe est déjà toute une lecture du personnage, à la fois flou dans ses rêves et précis dans ses définitions, qu'il pousse parfois jusqu'au sophisme : « Mon théâtre est celui de cet animal mort-né dont on tire une fourrure de la peau froissée. Grand luxe pour certains et suprême non-sens pour moi. »

Le désir obsédant de lire la face cachée des choses, d'échapper aux tricheries se retourne sur lui-même en un aveu presque désabusé : celui d'une entreprise qui ne désire pas faire école parce qu'elle ne croit ni aux questions ni aux réponses, mais seulement à la vérité intrinsèque des choses. La grande peur de Larrieu, face à la danse contemporaine, demeure celle de la récupération par les systèmes en place qui n'en digèreront que des fragments et la détourneront de son objet. Dix ans après ses débuts, il a conscience que son travail de chorégraphe s'est étalé sur une période à la fois séduisante et dangereuse, où un certain état de faits s'instaurait, cautionné par des subventions, banalisant la démarche sans vraiment la rendre populaire : la marginalité acceptée et reconnue comme telle, en ornement de la société, le pire tour que l'on puisse jouer à une graine de Rimbaud.

« Le combat contemporain des années 1980 sur l'image du corps — c'est le problème-clef —, a été fait sur une attitude très violente, très méprisante, parce qu'il y avait de grandes montagnes à déplacer. Quand on se rend compte du retour au réactionnaire, de la réapparition du corps exultant sous des maquillages contemporains, retour beaucoup plus pervers, il faut faire attention, on peut repartir trente ans en arrière. Les dix dernières années qui viennent de s'écouler en Europe peuvent être vite effacées comme une chose nulle et abêtissante. Pour moi, le combat n'est pas du tout gagné ». D'autant que le danseur « cheptel vif non récupérable de la culture mobile », s'autoconsume sans laisser de traces, tandis que la mode, la publicité et la danse néo-académique s'en partagent les morceaux.

Echapper aux masques, aux mirages, aux pièges d'une image du « corps représenté en scène comme un corps de fiction, c'est-à-dire le corps que l'on doit avoir et l'extase que l'on doit avoir », tendre à la nudité d'un désir non canalisé par les structures et les images sociales, à la grâce de l'acte gratuit, tout en sachant celui-ci « luxe choisi parmi d'autres luxes, et devenu, face au temps, un acte sur l'autel de l'investissement mystico-bancaire » : Larrieu se débat dans la problématique d'un retour à l'état d'innocence — pour lui recherche signifie quête de quelque chose de perdu — que contrecarre une nécessité d'intégration qu'il possède parfaitement car il est habile. D'où, par nécessité, des commandes acceptées en dehors de son propre champ d'expérience, dont la réussite peut parfois ne lui apporter qu'amertume pour son aptitude à s'adapter et à tricher avec lui-même.

Le visage raviné, comme aspiré de l'intérieur, les yeux enfoncés et brûlés, mais perçants de malice, cet assoiffé de vérité bâtit des œuvres qui n'empruntent rien à la violence d'une révolte, mais cherchent une Arcadie des gestes échappant aux passions convenues. Il se cogne, évidemment sur l'inaccessible d'une vérité nue, et contourne l'obstacle par un jeu de balancier et de miroir des idées, des mots, des contours, des attitudes. Flux et reflux permanent d'une personnalité dont l'un des mots révélateurs est « élastique », qui le définit autant qu'un romantisme très contrôlé. Cet écorché vif sait rire, se moquer de lui-même, retourner les vêtements, trouver des titres en forme de huit, comme l'*Eléphant et les Faons, ou Volte-Face*, garder à son écriture un air d'esquisse pour ne pas trop en bloquer la forme. Chez le danseur, il cherche ce qu'il appelle la « netteté-honnêteté de la peau, celle qui fait qu'un danseur se voit ou ne se voit pas en scène. »

Ses œuvres s'en sont allées dans tous les sens : *Romance en stuc*, par exemple, fresque antique esthétisante, comme taillée dans l'argile, avec le goût doux-amer de ce qui va tomber en poudre ; puis l'étonnant *Waterproof*, ballet aquatique créé dans une piscine d'Angers pour le Centre National de Danse Contemporaine, et qui traversera ensuite plusieurs autres

piscines : un travail sur un espace mou, où les corps flottent déformés, désarticulés, torturés ou élargis à d'autres dimensions. Le film vidéo fixant cette séquence amphibie recevra de multiples récompenses, à Antibes, Monte-Carlo et Rio. Il touche aussi à l'opéra, invité par Lyon en mai 1986, pour *Obéron* de Weber, puis en mai 1990 pour *Salomé* de Strauss.

Preuve que son originalité n'est pas passée inaperçue, il reçoit en 1987, pour la compagnie vedette de Francfort, une commande de William Forsythe, son directeur. « La rencontre, dit-il, de ce schizophrène américain et du paranoïaque européen que je suis a été savoureuse. En le voyant jongler avec les styles les plus différents chaque jour, sans aucun état d'âme, j'ai fui, affolé ». Il y retourne, monte *Jungle sur la Planète Vénus*, ce qui lui fait manipuler une trentaine de danseurs : sur le fond paysager d'une minuscule carte postale décrochée dans sa chambre et devenue tableau géant, il fait un collage d'images empruntées au folklore d'une planète inconnue où le désordre et l'ordre règnent. Jiri Kylian aussi l'invite au Nederlands Dans Theater en 1988. Enfin, un tryptique consacré à une hypothétique Route de la Soie, *Marchands, Bâtisseurs, Prophètes*, s'étage en trois étapes, de la Biennale du Val de Marne en 1989, au Yokohama Art Wave et à la Biennale de Lyon en septembre 1990. Le chorégraphe la définit comme une « saga de notre temps, acide, amère de tous les parfums dont on nous tanne le cœur pour nous redire l'endroit où l'on doit vivre, et ce que nous avons à penser, à dépenser. » Soit, le milieu contemporain a opéré un grand nettoyage, il a jeté à la poubelle beaucoup d'émotions préfabriquées.

Certains chorégraphes, comme Kilina Kremona, ont payé jusqu'au bout le prix scénique de l'horreur de soi et de l'angoisse de vivre, qu'ils opposent aux exutoires jugés lénifiants de la religion et de

l'art, se roulant par terre au lieu de regarder au ciel. D'autres, comme Régine Chopinot, ont tenté d'imposer la laideur du corps. Mais à la place de l'image extérieure que construisait la danse avant eux, ils n'ont proposé que des images morbides.

Face à ce dilemme, Larrieu abandonne le discours sur le sens et l'essence de la danse, et s'efforce de montrer en scène des corps qui soient libérés des correspondances obligées avec un schéma émotionnel ou abstrait. A lui-même, le sens n'apparaîtra souvent qu'après. A partir de rêves, d'impressions, ses chorégraphies, jamais démonstratives, deviennent un pont d'idéale civilité où les corps cherchent et créent des choses qu'ils ignorent grâce à celles qu'ils ont apprises. Il est de ceux qui ont tout assimilé en n'y voyant que des techniques, se dit encore fasciné par la numérologie du corps chez Balanchine, ou par la splendide souplesse du style Graham à condition de le dépouiller de sa finalité d'exultation.

Fédérant tous les apports et les dépassant, son écriture montre qu'un cap a été franchi dans la recherche chorégraphique. Les gestes s'y déploient souplement, chacun d'eux contenu dans le précédent, créant une extraordinaire impression d'intelligence du mouvement. Le corps pénètre la position qu'il va prendre et la définit au lieu de la subir. Ce qui lui interdit l'improvisation, puisque tout est imbriqué minutieusement, ordonné dans son déroulement. En revanche, aucun geste n'obéit à une contrainte spectaculaire. A celle-là, au moins, on est libre d'échapper : le résultat est un équilibre subtil entre des attitudes volontairement dessinées en deçà d'elles-mêmes, pour leur faire perdre tout caractère systématique. *Idmen*, à Strasbourg, imaginé pour des danseurs qui ne sont pas rompus à une telle économie, sera un exemple parfait de cette simplicité

de bon goût, qui efface les « oppressions » du corps et établit entre les personnages des rapports ne relevant ni de la possession ni de la rivalité.

Patrick Dupond a horreur des chapelles. Lorsqu'en novembre 1989 il contacte Larrieu et lui demande d'improviser une séquence capable de mettre le Ballet de Nancy en valeur pour la manifestation strasbourgeoise, il sait que la danse française tient là un de ses plus authentiques créateurs d'atmosphères. Pourtant, la rencontre commence par une petite guerre. Larrieu se défend, presque hostile, dans son rejet du *star-system*. Heureusement, l'étoile sait avoir des prudences de matou, tandis que le chorégraphe dressé sur ses positions, finit par se laisser brûler. A la première demande, il met la proposition sur le compte de la diplomatie : Dupond ne connaît pas le milieu contemporain, indifférent à son image, il lui reproche donc de n'être pas sincère, de simplement chercher à récupérer un travail auquel il ne s'est pas réellement intéressé pendant sa gestation. Alors Dupond fait patte de velours, le conquiert par la vivacité de sa curiosité, la liberté de son discours : « J'aime, dit-il, découvrir des continents, travailler dans l'inconnu ». « J'ai été purement et simplement attrapé », constate Larrieu. Etant donné la finesse des deux personnages en présence, la rencontre aura lieu en souplesse, chacun se servant parfaitement bien de l'autre.
L'idée du ballet est libre, laissée à l'imagination du chorégraphe. Elle ne comporte qu'une seule réserve, celle d'utiliser la partition de Xenakis, *Idmen*, écrite en 1985 pour les Percussions de Strasbourg à l'occasion d'Europa-Cantat, fête européenne de la musique. L'œuvre incluait des choristes, venus à l'époque de Grèce, Roumanie, Belgique et France, le ballet n'en conserve que les séquences jouées par les seules percussions.

Avant de régler sa chorégraphie, Larrieu va rencontrer Dupond à Milan, où il danse dans les *Vêpres Siciliennes* que dirige Claudio Abbado à la Scala. Pendant trois jours, en studio, il le regarde travailler, pour comprendre le moteur de sa dynamique et son jeu d'articulations. Il ressent immédiatement ce qu'il y a de plus admirable chez l'étoile : sa faculté de capter et de diffuser l'énergie. « La clef, se dit-il, en est forcément morbide : Dupond ne peut rester immobile parce qu'il redoute que l'arrêt ne le ramène à des images déprimantes ». Il décide, pour amorcer un vrai contact, de le faire casser avec ses habitudes, en jouant de son magnétisme dans un registre d'immobilité. « J'ai essayé d'alléger l'énormité de son univers et de l'absorber, et il est suffisamment fou pour accepter d'aller jusqu'au bout. »

La difficulté pour Larrieu est aussi de lui composer un personnage à partir d'une œuvre qu'il ne connaît pas suffisamment pour en retirer des évidences. L'autre chaînon essentiel qui relie les deux hommes va entrer en jeu : leur amour de la nature, un amour qui n'a rien d'accessoire et d'épisodique. Pour Dupond, c'est une nécessité de reprendre pied et équilibre régulièrement, dans sa colline achetée près de Paris, où, entouré d'animaux, il greffe et jardine. Quant à Larrieu, il pourrait s'y consacrer, puisqu'il est diplômé de collèges horticoles. Il va donc utiliser ce pont, et cherche une figure mythologique qui appartienne aux champs et aux forêts : s'impose l'idée de l'épouvantail, crucifié dans sa nécessité de faire peur tout en étant fleuri. On n'en attendait pas moins de l'ambiguïté un peu perverse du chorégraphe. Pour Dupond, ce n'est heureusement pas le premier contact avec les difficultés d'une dynamique au ralenti, il l'a déjà travaillée avec Bob Wilson, maître du genre, pour le *Martyre de Saint-Sebastien*.

Autour de lui, toute la compagnie, utilisée dans le même anti-

registre : on peut taxer Larrieu d'esprit de contradiction, le traiter de sophiste et l'accuser de tomber dans les pièges qu'il prétend éviter. Pourtant, s'il dépouille les danseurs de leurs armes, ce n'est pas par facilité : il lui faut toujours gratter autour du noyau, chercher la fêlure des gens pour mieux trouver leur vérité, puis la dédramatiser. En commençant à travailler à Nancy, ce libertaire a été un peu choqué par l'esprit « quasi-féodal » qui régit ce genre de structure. Les danseurs sont des soldats, habitués à exécuter : il s'ingénie à provoquer leurs réactions, leurs envies par rapport à leur individualité, et les laisse libres des accessoires que sont pour lui chaussons et maquillages.

Seule la précision du geste va compter, pour un travail tout en finesse. « Quand j'ai vu tous ces jeunes gens sauter, gambader, pirouetter pour toutes ces raisons inhérentes à la danse classique, que la motivation en soit le masochisme le plus total ou l'exhibitionnisme, le sentiment d'expression de soi ou celui d'autodestruction, je leur ai dit : mes chers amis, nous allons travailler dans la lenteur, trouver un peu de paix et d'humilité par rapport à la projection du corps. Faites donc un plié les yeux fermés et vous verrez comme tout est différent, levez votre bras et imaginez qu'il reste allongé. » La réalisation d'*Idmen* tient de la prouesse : après trois jours passés à la campagne chez Dupond pour régler la partie de l'épouvantail, Larrieu dispose de cinq jours pour apprendre le ballet à la compagnie : trois minutes à mettre en place chaque jour, l'ensemble ne pouvant être monté que le jour du spectacle. Il s'en tient donc à des gestes qui se développent simplement, dans une émotion, précise le chorégraphe « née de l'unification, de la sensation de partage du mouvement. Tout un petit segment de vie, dans une ambiance réfugiés de l'Est, une sorte d'aquarelle un peu exotique. »

Le résultat sera vécu par les trois mille spectateurs comme une vision presqu'envoûtante, dont l'étrangeté est accentuée par le caractère théâtral des gestes des percussionnistes qui encadrent la scène. Traversés par ces éclats de musique, les personnages évoluent en une sorte de lente sarabande sur un sol ponctué de damiers lumineux. Dans une incroyable accumulation de bonnets, écharpes, casquettes, cols marins, jupes gonflées et collants bariolés, bottines et mitaines, empilés les uns sur les autres et ponctués d'énormes choux de ruban rose fluo ; lointaine fête en guenilles, « pour laquelle » dit Larrieu, « on n'a pas cherché à faire joli », de façon à détacher les danseurs de l'idée de représentation. La costumière, Sylvie Skinazi, une ancienne de chez Christian Lacroix, n'a pas oublié la leçon du maître. N'ayant pas le temps de faire tailler des costumes, elle a couru les fripes et les marchés aux puces. La poésie de ces hardes baroques, dont le flamboiement rend gracieuse la misère, les situe hors du temps et de la logique.

Au centre, l'épouvantail fait quelque solos, se glisse entre les cadences des percussions, dans une danse très frontale, évidemment. Son costume aussi est ébouriffant : chapeau claque surmonté de fleurs, guenilles et bouquet accroché sur la cuisse, mais surtout une main-miroir, celui-ci collé dans la paume, et un bras buisson prolongé par un ballet de paille. Vision à la Cocteau, pour suggérer qu'il tient à la fois la lumière et la nature. Tandis qu'autour de lui les personnages glissent en rondes feutrées, il tend son miroir à une danseuse qui se recoiffe inlassablement, les cheveux déployés devant elle. Petit clin d'œil ironique au *Boléro* de Béjart, de l'aveu du chorégraphe. La belle Alexandra Stewart, dont les cheveux roux sont une fois de plus utilisés comme capteurs de lumière, est pour la circonstance couronnée d'un énorme nœud rose d'Alsacienne revue par Walt

Disney. Une séquence cristalline fige soudain le groupe face au public, dans une sorte de captation lente de l'espace et du rythme : de leurs bras gauches, dépliés, levés, cassés, abaissés en caresses ou en saccades, ils ne composent plus qu'une seule énergie. Une lente mélopée les sépare, les fait onduler les uns vers les autres avec une ombre de provocation sensuelle. Le silence absorbe leurs derniers gestes. D'un élan unanime, les danseurs ont vécu cette injection de sérum comme une vision fugitive : cinq jours de travail, un soir de fête, et elle est déjà évanouie. Mais la pièce est de celles que le Ballet de Nancy n'a pas l'intention de remiser dans ses réserves. « Nous n'avons pas compris grand' chose à ce que nous avons dansé, mais nous avons compris quelque chose dans la façon dont nous l'avons dansé. »

Quant à la rencontre de Dupond et de Larrieu, on peut espérer qu'elle ne restera pas un accident. Le nouveau Directeur de la Danse à l'Opéra de Paris n'a nullement l'intention de mettre l'énorme troupe entre les mains de chorégraphes au métier aléatoire : le ballet de l'Opéra n'est pas et ne doit pas être, comme celui de Nancy, un outil de création. Mais il a pu tester Larrieu, son talent pour infuser son imaginaire dans l'espace, sa rapidité pour s'emparer de la sensibilité des danseurs en une chiquenaude, tellement plus efficace que le coup-de-pied. Il sait que le chorégraphe peut être l'un de ces chaînons indispensables pour faire le voyage du connu vers l'inconnu. On risque donc de voir un jour ou l'autre Daniel Larrieu affronté à ce qu'il considère comme la grande compromission, l'Opéra de Paris. S'il est saisi par le succès, il sera sans doute de plus en plus prisonnier de ces pièges qu'il fuit, lui qui souffre de créer des illusions alors qu'il ne voudrait laisser que des traces de vérité : « Nous sommes des vecteurs sur l'infiniment petit. En huit années de chorégraphies, j'ai dû trouver seulement trois ou

quatre images qui étaient des archétypes, c'est très peu. Parfois je voudrais m'échapper du milieu de la danse, passer trois mois à l'extérieur, pour que les choses se clarifient et reprennent leur place. » En attendant, il est de ceux qui osent encore employer le mot de « beauté », devenu difficile parce qu'il véhicule encore, pour la majorité des sensibilités, le même désir de dissolution dans l'absolu. Son issue est de la chercher dans le discours harmonique, dans une forme établie à plusieurs. Une sorte d'immanence de l'amour, sans objet propre, c'est peut-être ce qui fait la puissance de cet art si doux.

EMPREINTE D'UNE RENCONTRE

Les danseurs d'aujourd'hui savent à peu près tout faire de leur corps, mais ils ne savent pas toujours pourquoi. Dans les plus prestigieuses écoles, on leur enseigne tous les ressorts du saut, tous les secrets de l'équilibre, tous les artifices qui transforment une anatomie en un parfait faisceau de lignes mobiles. Mais à eux de trouver le sens de tout cela. Sans doute est-ce une intuition qui ne s'invente pas. Pourtant il n'est jamais mal qu'un civilisateur vienne à passer.

Le séjour de Patrick Dupond à Nancy, ce n'est pas l'immersion dans une nouvelle doctrine du mouvement, un changement de cap, c'est un éclairage, c'est réapprendre ce que les danseurs y avaient peut-être oublié : que la Danse est acte d'amour, descente dans l'Univers de l'Autre, puis transmission, enrichie ou appauvrie par l'évolution des formes. C'est aussi prendre conscience que leur métier, longtemps considéré comme purement divertissant, est le repère important d'une époque et d'une culture. Quoi de plus grec que la bacchante courant sur le vase, quoi de plus indien qu'une apsara ondulant sur une fresque de temple, quoi de plus baroque qu'un moulinet de la main émergeant d'un poignet de dentelle, quoi de plus romantique qu'une ballerine ailée, de plus zoulou que leur pas de guerre.

On en arrive au XXe siècle, décrété par Maurice Béjart « siècle de la danse. » Il n'y est pas pour rien.

De grands bouleversements vont survenir : on s'essaye au corps sacralisé, au corps étoilé, au corps signifiant, au corps abstrait, au corps mécanique, on apprend surtout à mieux le faire bouger. Le servir, ou s'en servir, telle demeure peut-être la principale frontière, qui fait s'affronter deux positions philosophiques.

De ce grand chaos de remises en questions, émerge dans les années quatre-vingts un nouveau mode de pensée qui ressemble à une ouverture. Invités à Nancy parce qu'ils en sont les représentants, chacun à sa façon, quatre jeunes créateurs ont investi le ballet d'interrogations éternelles : « Le monde est prison », dit Thierry Malandain, et il cherche la solution dans la fuite. « Le monde est bizarre », dit Pierre Darde, et il lui gratte le dos pour voir comment il remue. « Le monde est faussé », dit Daniel Larrieu, et il cultive en bocaux les embryons d'une mythique liberté. « Le monde est cruel », dit Ulysses Dove, et comme un bélier il lance son agressivité vers le spectateur. Tous, pourtant sont bien spécifiques de leur temps par la façon non systématique de poser leurs questions, ou de proposer leurs solutions.

Quant à Patrick Dupond, il dit avoir fait à Nancy « les meilleures et les pires choses de sa vie », les meilleures parce que c'est là qu'il a le plus donné de lui-même, les pires parce qu'il s'est heurté aux limites de désirs de perfection qu'il n'avait pas jusque-là. Mais, entre la solitude de ses années de gloire itinérante et celle du pouvoir qui l'attend au Palais Garnier, il gardera certainement la nostalgie d'un îlot de rencontre, de deux années plus douces où il aura travaillé à dimension humaine. Il y aura été pour son équipe à la fois image de beauté et catalyseur d'énergie, ce qui est très rare. Pour ce paradoxe, lui qui cherche tant à être en phase avec son époque, mérite peut-être que l'on se dise son contemporain.

Table des matières

LÉGENDES DES ILLUSTRATIONS

11. Patrick Dupond, *Chant du compagnon errant,* cliché M. Lasch.

13. Ballet de Nancy, *Four Schumann pieces,* cliché M. Lasch.

15. Patrick Dupond, *Salomé,* cliché M. Lasch.

16. Patrick Dupond, *Le Corsaire,* cliché M. Lasch.

17. Patrick Dupond, *Vaslaw,* cliché F. Levieux.

19. Patrick Dupond, *Démago-Mégalo,* cliché D. Torres.

20. Patrick Dupond, *Salomé,* cliché M. Lasch.

21. Patrick Dupond, *Salomé,* cliché M. Lasch.

22. Patrick Dupond, *Salomé,* cliché M. Lasch.

23. Patrick Dupond, *Salomé,* cliché M. Lasch.

25. Patrick Dupond, *Salomé,* cliché M. Lasch.

27. Patrick Dupond, *Salomé,* cliché M. Lasch.

29. Ensemble, *Symphonie in D.,* cliché F. Levieux.

31. Aurélia Schaeffer, Céline Marq, Valentina Spadoni, *Symphonie in D.,* cliché F. Levieux.

32. Valentina Spadoni, Patrick Dupond, *Pétrouchka,* cliché F. Levieux.

33. Patrick Dupond, *Pétrouchka,* cliché F. Levieux.

    Ensemble, *Pétrouchka,* cliché F. Levieux.

    Ensemble, *Pétrouchka,* cliché F. Levieux.

    Patrick Dupond, Françoise Baffioni, *Pétrouchka,* cliché F. Levieux.

34-35. Ensemble, *La Somnambule,* cliché M. Lasch.

37. Gilles Reichert, Thomas Klein, *Othello,* cliché M. Lasch.

38. Alexandra Wells, Thomas Klein, *Concerto de Grieg,* cliché F. Levieux.

    Isabelle Horovitz, Thierry Coutant, *Chostakovitch, pas de deux,* cliché F. Levieux.

39. Patrick Dupond, *Apollon musagete,* cliché F. Levieux.

40. Gilles Reichert, Françoise Maillard, *Pétrouchka Variations,* cliché M. Lasch.

42-43. Patrick Dupond, *Apollon musagete,* cliché F. Levieux.

45. Thomas Klein, Isabelle Horovitz, Isabelle Bourgeais, Françoise Baffioni, *Apollon musagete,* cliché F. Levieux.

46. Ensemble, *Vaslaw,* cliché P. Perazio.

49. Fabrice Lemire, Fanny Fiat, *Les Forains,* cliché F. Levieux.

52-53. Patrick Dupond, *Prélude à l'après-midi d'un faune,* cliché F. Levieux.

55. Patrick Dupond, *Illuminations,* T. Franck.

56. Patrick Dupond, *Symphonie pour un homme seul,* cliché C. Masson/Kipa.

61. Ulysses Dove, Nancy Raffa, *Répétition,* cliché F. Levieux.

63. Gilles Reichert, Françoise Baffioni, *Faits et gestes,* cliché F. Levieux.

64. Patrick Dupond, Isabelle Bourgeais, *Faits et gestes,* cliché F. Levieux.

67. Françoise Baffioni, Anthony Basile, *Faits et gestes,* cliché D. Torres.

68-69. Françoise Baffioni, Isabelle Bourgeais, Patrick Dupond, Thomas Klein, Gilles Stellardo, Anthony Basile, *Bad Blood,* cliché F. Levieux.

74. *Bad Blood,* cliché C. Masson/Kipa.

75. Nancy Raffa, Patrick Dupond, *Bad Blood,* cliché F. Levieux.

76. Nancy Raffa, Patrick Dupond, *Bad Blood,* cliché F. Levieux.

78. Ensemble, *Vespers,* cliché M. Lasch.

79. Ensemble, *Vespers,* cliché M. Lasch.

80. Ensemble, *Vespers,* cliché M. Lasch.

83. Patrick Dupond, Valentina Spadoni, *White Silence,* cliché F. Levieux.

84. Patrick Dupond, Valentina Spadoni, *White Silence,* cliché M. Lasch.

85. Valentina Spadoni, *White Silence,* cliché F. Levieux.

86. Patrick Dupond, Valentina Spadoni, *White Silence,* cliché F. Levieux.

87. Thomas Klein, Alexandra Wells, *White Silence,* cliché F. Levieux.

    Ensemble, *White Silence,* cliché F. Levieux.

89. Thierry Malandin, cliché D. Peterle.

90. Ensemble, *Illuminations,* cliché D. Torres.

92-93. Ensemble, *Illuminations,* cliché D. Torres.

94. Patrick Dupond, Thomas Klein, Gilles Reichert, Béatrice Garnier, *Illuminations,* cliché C. Masson/Kipa.

95. Patrick Dupond et ensemble, *Illuminations,* cliché T. Frank.

97. Pierre Darde, cliché Moatti/Kleinefehn.

98. Aurelia Schaeffer, Nancy Raffa, Patrick Dupond, Françoise Baffioni, *Rouge poisson,* cliché D. Torres.

100. Ensemble, *Rouge poisson,* cliché D. Torres.

103. Daniel Larrieu, cliché E. Zheim, J. Goussebaire.

104. Ensemble, *Idmen,* cliché M. Lasch.

106. Patrick Dupond, *Idmen,* cliché M. Lasch.

109. Isabelle Bourgeais, *Idmen,* cliché M. Lasch.

110-111. Ensemble, *Idmen,* cliché M. Lasch.

112. Patrick Dupond, Alexandra Wells, *Apollon musagete,* cliché F. Levieux.

114. *Salomé,* cliché D. Torres.

Imprimerie Bialec, Nancy - Dépôt légal numéro 27179 - 4ᵉ trimestre 1990